롤모델보다 **레퍼런스**

1

롤모델보다 **레퍼런스 1**

나만의 삶과 공간을 만들 수 있을까요?

한선희 · 박지민

ginger T project
진저티프로젝트

추천의 글

나는 이 책이 기획된 순간부터 텀블벅 펀딩 530%를 달성하며 성공적으로 출간되기까지 전 과정을 멀리서, 가끔은 가까이서 지켜보는 행운을 누렸다. 10년 넘게 젠더gender와와 조직을 연구해 온 내게 〈롤모델보다 레퍼런스〉는 책이 담고 있는 내용만큼이나 책이 만들어지는 과정이 흥미로웠다. 일이 여성을 어떻게 변화시키고 여성들 간의 관계를 어떻게 발전시키는지 보여주는, 마치 잘 만들어진 한 편의 성장드라마 같았다고나 할까.

한선회, 박지민, 이시은, 백선호, 배태랑, 박예지. 서로 잘 알지 못하던 여섯 명의 20대 초반 여학생들은 모여 도대체 일의 세계는 어떻게 돌아가며 여자 선배들이 어떻게 일하고 있는지 궁금했다. 강렬하지만 막연한 열정을 가지고 시작했던 일이 진저티프로젝트의 경험 많은 편집자들을 만나 제대로 된 방향과 세련된 편집을 갖춘 프로페셔널한 출판물이 되었다.

〈롤모델보다 레퍼런스〉는 인터뷰집이다. 통상 인터뷰집에서는 인터뷰이가 스포트라이트를 받고 인터뷰어는 숨어있거나 개성이 드러나서는 안 되는 것처럼 여겨지는데, 진저티프로젝트의 노련한 편집자들은 처음부터 인터뷰어들을 무대의 중심에 세우기 위해 무척이나 공을 들였다. 이 편집자들은 20대 여성들이 무엇을 궁금해하는지를 진심으로 궁금해했던 것 같다. 덕분에 여섯 명의 학생들은 자신의 열망을 의심 없이 긍정하고, 자신이 어떤 사람을, 무엇을 궁금해하는지에 집중하며 인터뷰이를 선정하고 질문을 만들어갈 수 있었던 게 아닐까.

놀랍게도 20대 학생들은 성공의 정점에 있는 장년의 여성들에게는 관심이 별로 없었다. 모든 걸 갖춘 완벽한 롤모델을 필요로 하지도 않았다. 롤모델이라는 판타지 대신 실용적인 레퍼런스를 원했다. 안목은 탁월했다. 그녀들이 레퍼런스로 선택한 20대 후반 30대 초반의 일하는 여성들은 내게도 더없이 훌륭한 레퍼런스가 되었다. 선회, 지민, 시은, 선호, 태랑, 예지, 그녀들도 수년 내에 누군가의 레퍼런스로 성장하리라. 20대 여성이 묻고 30대 여성이 답하면서 일의 세계에서 여성의 목소리와 존재감을 키워가는 이 '레퍼런스' 기획이 앞으로도 계속되기를 희망한다. 그리고 그 확장적인 과정을 통해 여성들의 일-네트워크도 성장할 것을 상상해 본다.

그 시작점 어디에 20대 여성들의 목소리를 듣고 싶어 했던, 그리고 그들과의 협업을 통해 변화한 40대 여성들이 있었음도 기억하고 싶다. 특히 삼성 해외 마케팅 부서에서 십 년 넘게 일하다가 육아로 경력단절을 경험한 후 진저티프로젝트에 합류한 전혜영 편집자가 20대 필자들과 좌충우돌하며 20대와 일하는 방법을 터득했던 과정은 그 자체로 흥미진진한 또 하나의 성장드라마이다. 지시할 때는 열의 없이 대응하던 학생들이 자신의 고민을 솔직하게 드러냈더니 스스로 해결책을 찾아오더란다. 삼성에서 일하던 방식을 과감하게 버렸을 때 비로소 20대들과 제대로 일할 수 있었다고 웃으며 말하던 목소리에서 느껴졌던 자신감. 그녀도 멋진 레퍼런스이다.

연세대 사회학과 부교수 김영미

목차

롤모델이 아닌 레퍼런스

여성의 일을 이야기하다

이 책은 여성의 일에 대한 대화이다. 여성, 일, 대화. 이 세 가지는 이 책을 관통하는 중요한 키워드이다.

첫 번째 키워드 '여성'은 이 책의 주체이자 대상을 설명한다. 이 책은 여러 여성이 함께 기획하고 만들어간 결과물이다. 이 책의 기획자와 편집자, 인터뷰어와 인터뷰이, 디자이너와 감수자는 모두 여성이다. 이 책은 여성에 대해 다루고 있을 뿐만 아니라 이 책을 여성들이 직접 다루었다. 그래서 이 책은 여성에 대한 책이기도 하지만 여성의 책이기도 하다. 그렇지만 이 책은 집단으로서의 여성을 다루고 있지 않다. 오히려 각자의 개성과 방식으로 현재를 살아가는 여성들의 개별적인 삶을 들여다보는 데 집중하였다. 이 책에는 12명의 인터뷰이,

6명의 인터뷰어, 3명의 기획자들이 등장하는데 사실 이들은 쉽게 공통점을 찾을 수 없을 만큼 매우 다른 경험과 관심을 가지고 있다. 그리고 그 다양한 모습을 되도록 그대로 담아보려 노력했다.

두 번째 키워드인 '일'은 이 책의 주제이자 질문이라고 할 수 있다. 이 책은 총 12편의 인터뷰로 구성되어 있는데 17번의 인터뷰 모두를 관통하는 주제는 일이다. 인터뷰는 '현재 일을 하고 있는 여성들'과 '앞으로의 일을 고민하고 있는 여성들'과의 만남의 기록이다. 일하는 삶이 나에게 어떤 의미인지, 나답게 일하는 것은 무엇인지, 새로운 일의 영역과 방식을 시도하는 것이 가능할지 등 일을 주제로 한 경험과 고민, 관점과 철학, 시도와 실험을 담았다. 무엇보다 나답게 일하는 것이 무엇인지 탐색하고 시도하고 만들어가고 있는 여성들의 이야기들을 담아보려 노력했다. 우리는 일의 세계가 급격히 달라지고 있는 시대를 살고 있다. 일에 대한 정의, 일의 방식, 일의 풍경이 급격하게 바뀌고 있는 시대 속에서 '일하는 여성의 삶'은 어떤 모습이고 어떻게 변해갈지 함께 질문하고 이야기했다.

세 번째 키워드인 '대화'는 이 책을 만들어간 방식이기도 하고 이 책이 활용되기 원하는 방향이기도 하다. 이 책에는 인터뷰어와 인터뷰이들의 생각이 씨줄과 날줄처럼 엮어져 있다. 또한 편집자와 기획자의 생각도 행간에 녹아들어 있고 디자이너의 생각도 시각적 언어를 통해 표현되어 있다. 이 생각들은 끊임없는 대화와 만남을 통해 조율되는 과정이 있었다. 때로는 연령이 다르고, 경험이 다르고,

일터의 풍경이 다른 이들이 함께 일하면서 우리는 '분업'보다는 '협업'을 '분명한 업무적 프로세스'보다는 '맥락을 이해할 수 있는 충분한 대화'를 선택했다. 그 이유는 성장은 대화를 통해 일어난다고 믿기 때문이다. 이 책을 함께 만든 이들뿐만 아니라 이 책을 만날 모든 이들에게 진짜 대화가 일어나기를 기대한다. 진짜 대화를 통해 서로의 생각과 감정을 깊게 나누고 자신의 내면을 잠잠히 들여다보는 기회가 되길 각자가 한 발 더 나아갈 이유와 힘을 얻게 되길 기대한다.

내 안의 목소리에 귀 기울이다

이 책은 인터뷰라는 형식을 통해 만들어졌다. 인터뷰는 본질적으로 듣는 행위이다. 이 책을 왜 만들게 되었는지 누군가 묻는다면 "우리가 정말 듣고 싶은 이야기가 있어서"라고 말할 것이다. 정말 듣고 싶은 이야기가 아니라면 인터뷰는 고통스러운 작업이다. 누군가의 이야기를 제대로 듣는 것은 결코 쉬운 일이 아니기 때문이다. 듣는 것은 속도를 늦추고 멈출 때에만 가능하다. 잘 듣기 위해서는 다른 행동을 멈추어야만 한다. 내 눈에 들어오는 수많은 자극들을 차단하고 한 사람에게만 내 시선을 고정해야 한다. 제멋대로 떠오르는 생각, 하고 싶은 말들을 멈추고 내 앞에서 이야기하는 사람의 이야기를 듣고 그 이야기의 속도와 전개를 따라가야 한다. 무엇보다 나의 생각, 나의 관점,

나의 신념까지도 잠시 내려놓고 상대방의 삶 속으로 들어갈 때 우리는 제대로 듣게 된다.

우리는 일하는 여성들, 나와 비슷한 고민과 경험을 했을 법한 여성들의 이야기를 제대로 들어보고 싶었다. 하지만 매끈한 성공 방정식을 듣고 싶지는 않았다. 빛나는 성취의 내러티브에 감동하기보다는 진흙탕 현실을 함께 들여다보면서 고민을 함께 이야기할 수 있기를 바랐다. 결과보다는 과정을, 외적인 성공보다는 내면의 씨름을 듣고 싶었다.

결국 이 모든 과정을 통해 우리가 가장 듣고 싶었던 것은 '내 안의 목소리'였다. 나에게 일은 어떤 의미인지, 왜 나는 일하고 있는지, 어떻게 일하고 싶은지, 내가 부딪히고 있는 장벽은 무엇인지, 나는 어떻게 사회와 연결되고 싶은지. 스스로에게 질문하는 과정을 통해 각자가 자신의 길을 찾아가는 데 도움이 되었으면 좋겠다. 홀로 분투하고 있다고 느끼지 않으면서도 자신만의 길을 걸어갈 수 있는 힘이 우리에게 채워지길 바란다.

롤모델이 아닌 레퍼런스를 만나다

한선회, 박지민, 이시은, 백선호, 배태랑, 박예지. 이 책에서 가장 독특한 역할을 하고 있는 이들은 이 책의 저자이자 인터뷰어인 6명의

20대 여성들이다. 이들은 아직 본격적인 일의 세계로 들어가지 않았지만 '나답게 일하는 삶'에 대한 열망이 무척 높았다. 이 책은 결국 이들이 자신의 길을 찾아가기 위해 만나보고 싶은 여성 17명을 인터뷰한 기록이다. '나답게 일하는 삶'을 열망하지만 이런 삶이 어떻게 가능한지 설명해주는 안내서나 매뉴얼은 존재하지 않는다. 이런 삶을 추구한다는 것은 미지(未知)를 향해 나아가는 것이기 때문이다. '나의 내면'이라는 미지의 세계는 어떻게 탐색해야 하는 것인지, '4차혁명 시대의 일'이라는 미지의 영역은 어떻게 탐험해야 하는지 우리는 아직 그 답을 알지 못한다. 그리고 그 탐색과 탐험은 '정답을 찾는 과정'이라기보다는 '방향을 잡아가는 여정'에 가까울 것이다.

백희원, 김하나, 조재원, 정수현, 두아인, 이민경, 신인아, 우유니, 양민영, 김시내, 홍혜진, 김미진, 박진영, 김하나, 서현선, 안지혜, 전혜영

자신의 일과 삶의 이야기를 아낌없이 나누어 준 17명의 인터뷰이들에게 우리는 '롤모델'이라는 명칭을 부여하지 않았다. 그들이 자신의 일을 찾아가고 실험하고 고군분투하며 만들어 온 삶은 다음 세대의 여성들에게 너무나 소중한 유산이지만 그들의 방식과 선택을 그대로 복제하거나 가이드로 제시할 수는 없음을 알게 되었기 때문이다. '나답게 일하는 삶'이란 결코 복제되거나 복사될 수 없는 삶이기 때문이다.

흥미롭게도 6명의 인터뷰어와 17명의 인터뷰이들은 모두 우리가 '더 이상 롤모델이 존재할 수 없는 시대'를 살고 있다는 것을 인식하고

있었다. 그리고 그 인식이 더 솔직하고 더 겸손한 대화를 가능하게 해주었다. 변화의 속도가 빨라지는 세상 속에서는 이전 세대가 걸어온 커리어 여정이 뒷세대가 걸어갈 정답이 될 수 없다는 걸 알기에, 오히려 우리는 상대방의 맥락과 고민을 섬세하게 존중하고 이해하며 대화할 수 있었다.

우리는 성장한다, 비록 완벽하지 않아도

성장은 울퉁불퉁하다. 여성들이 성장하는 과정도 이처럼 거칠고 고통스럽다는 걸 이 책을 만드는 과정에서 새삼 깨달았다. 모든 인터뷰에서 우리는 완벽하지 않은 사람들의 이야기를 들었다. 열정적으로 도전하기도 하지만 뼈아픈 실수도 하는 이들, 풍성한 경험을 가지고 있지만 여전히 불안한 이들, 신념이 있지만 날마다 한계를 느끼고 포기를 고민하는 이들이 이 책의 주인공들이다.

성장은 빛나는 소수에게 주어진 특권이 아니라는 걸 우리는 배웠다. 성장이란, 때론 두렵고 불안하지만 한 발 한 발 내딛고 있는 모두에게 서서히 붙고 있는 근육과 같은 것이었다. 성장은 완벽하지 않기에, 한 순간에 이뤄지지 않기에, 때로는 고통이 따르기에 우리는 서로가 필요하다는 걸 알게 되었다. 완벽한 롤모델이 아닌 솔직한 레퍼런스가 말이다.

결국, 이 책은 '여성'이 '여성의 일과 삶'을 기록한 결과물이다. 나다운 일을, 나다운 삶을 찾아가는 이들이 함께 서로의 삶을 읽어주고 기록으로 남기는 과정 속에서 우리는 새로운 감각을 찾을 수 있었다. 시행착오를 하겠지만 결국 한 발 더 전진하리라는 자신감, 누군가 내 삶을 공감해 주고 있다는 든든함, 느슨하지만 우리는 연결되어 있다는 안전함. 이러한 감각이 좀 더 많은 여성들에게 좀 더 깊게 가 닿기를 진심으로 기대하고 기도한다.

Prologue

정답은 없으니까

'나는 어떤 일을 하는 사람이 될까?'

가보지 않은 미지의 세계 앞에서도 움츠러듬 없이, 지극히 순수한 마음과 설렘으로 스스로에게 이 질문을 던져본 경험이 우리 모두에겐 있을 것이다. 이상하게도 시간이 지날수록 이 질문에는 점점 무게가 실렸다. 세계가 더는 미지이지 않을 때, 비로소 내가 세상을 조금은 알 것 같다고 말할 때쯤, 질문의 무게는 정점에 달해 내 앞을 가로막고 있었다. '대학생'이라는 신분이 벌어주는 시간에도 끝이 다가오고 있었고, 그렇게 질문 유예기간의 만료 앞에 더는 숨을 수도, 외면할 수도 없었다.

여전히 답하지 못한 채 머뭇거리고 있는 사이, 또 다른 질문들이 파도가 되어 철썩철썩 들이닥쳤다. '내가 무슨 일을 할 수 있을까? 하고 싶은 일을 하며 살 수 있을까? 일을 시작할 수나 있을까? 시작한다 해도 내가 잘 버틸 수 있을까? 아니, 버텨야만 하는 일을 하고 살아야 하나?' 불안하고 두려웠다. 불안의 파도 속에서도 끝까지 지키고 싶었던 내 마음속 작은 불씨는 '내가 나답게 일하고 살 수 있다는 가능성'이었다. 확인하고 싶었다. 그렇게 살 수도 있다는 것을, 그렇게 살아도 괜찮다는 것을.

나보다 딱 한두 걸음 앞서 있는 사람들을 만나 '인터뷰'라는 이름의 대화를 했다. 그들에게 '일'을 물었지만, 주로 들은 것은 '삶을 살아가는 태도'였다. 그렇게 누군가의 삶을 온 힘을 다해 들었다. 대화는 생각보다 큰 힘을 가지고 있었다. 대화란 상대방의 존재를 온전히 마주하는 것이지만, 무엇보다 '나'라는 존재를 스스로 온전히 마주하게 했다. 인터뷰이의 언어는 내 마음속 어두운 곳에 웅크리고 있던 불안을 조명하기도 했고, 내가 걷는 길의 끝까지 훤히 비추어 주진 않았지만, 당장 내가 내디뎌야 했던 한 걸음만큼의 빛을 비추어 주었다.

책을 내게 된 지금 한 가지 확실하게 아는 것이 있다면, 내가 마주해야 하는 '일'이란 오지선다형 문제처럼 찍어서 맞출 수 있는 정답이 없다는 것. 새하얀 비명을 지르는 것 같은 텅 빈 종이를 채워가는 것은 온전히 내 몫이라는 사실이다. 가보지 않은 길은 늘 불안하다. 매일 아침 눈을 뜨고 맞는 내일은 언제나 가보지 않은 길이어서 우리는 모두

내일이 불안하다.

나와 비슷한 고민을 하고 있을 누군가에게 내가 배운 이것을 전하고 싶다. 우리에게 필요한 것은 롤모델이 아닌 레퍼런스라고. 누군가를 따라 하고 닮아가는 게 아니라 자신의 일과 삶을 자신답게 만들어가기 위해 당신에게는 좋은 레퍼런스들이 필요하다고 말이다. 내 삶에, 당신 삶에 정답은 없으니까.

"주인님 저 집 뺄게요"

"5만 원 올렸다고 이러는 거니?"

"이것저것 올라가니 어쩔 수 없네요"

미소는 감당할 수 없이 오르는 생활비에 월셋집을 포기하고 친구 집을 전전한다. 미소에게는 취향을 지키는 것이 집보다 중요했기 때문이다. 영화 〈소공녀〉의 한 장면이다. 〈소공녀〉의 영어 제목은 마이크로해비타트Microhabitat, 미소서식지라는 뜻이다.

영화가 끝나고 자취방에 누워 내가 앞으로 지켜낼 수 있는 것과 지킬 수 없는 것에 대해 고민했다. 하루 끝에 맥주 한 캔을 마시고, 영감 주는 세미나를 듣고, 읽고 싶은 책을 사고, 친구와 시시덕거리는 시간을 지켜내고 싶었다. 그렇지만 소소한 행복을 사수하기 위해서는 나의 미소서식지인 자취방을 지키지 못할 수도 있다는 생각이 들었다.

생활비의 35%를 차지하는 월세는 하고 싶은 것을 극도로 절제해야 감당할 수 있는 비용이었다. 월세를 줄이는 건 돈을 아끼는 방법이자 시간을 버는 일이기도 했다. 알바하는 시간만큼 내가 하고 싶은 일을 더 많이 할 수 있다는 뜻이기도 하니까.

결국 나는 3년의 독립 생활을 접고 다시 부모님 집으로 돌아왔다. 대학 졸업을 앞두기도 했지만 값비싼 주거비를 줄이고 지켜내고 싶은 것들을 꼭 지키기 위해서였다. 그것은 나를 지키는 일이기도 하니까.

부모님 집 더부살이는 쉽지 않은 선택이었다. 혼자 살 때와 다르게 맞춰야 할 것이 많았고 그 속에서 나를 지워 내야 할 일도 많았다. 방해받지 않을 공간이 필요하다는 내 말에 늘 '빨리 결혼해서 독립해라'는 어른들의 말씀이 따라왔지만 결혼이 나에게 선택지가 될지는 모르는 일이다.

작은 원룸에 여러명이 부대끼며 사는 모습 말고, 나의 방 한 칸은 있는 삶. 이야기 나눌 사람과 공간이 있는 집에서 나 자신을 위해 살고싶다는 소망이 있다. 결혼해야 독립할 수 있는 기존 문법에서 벗어나 나의 방식으로 지속가능한 거주 경험을 갖고 싶다.

그렇지만 용기가 남아있지 않았다. 3년 동안 바깥 생활을 하며 세상살이가 값비싸고 마음처럼 되지 않는다는 것을 느낀 뒤로 자신감이 많이 떨어진 터였다. 진저티프로젝트와 함께 인터뷰 책을 만드는 작업을 시작한 것도 이 시점이다.

"나는 어떤 '미소'를 지키며 살아갈까"

영화의 한 줄 평에 시선이 닿았다.

먼저 고민하고 먼저 생각한 사람을 만나고 싶었다. 비혼 여성의 주거를 이야기하는 백희원과 공유주택을 짓고 새로운 주거 형태를 실험하는 김하나에게 물었다.

Interview

1 기본소득청'소'년네트워크(BIYN) 활동가 **백희원**

기본소득_생활동반자법_접점은_페미니즘

비혼이_만드는_새로운_관계

자기욕망을_상수에_두는_삶

백희원은 '기본소득청'소'년네트워크(BIYN)'에서 기본소득을, '보스턴 피플팀'에서 생활동반자법을 주장하고 녹색당에서 여성과 환경, 소수자를 위한 정치를 한다.

백희원은 지금까지 여성으로 살아오면서 오감으로 느끼지만 설명하기 어렵고 애매했던 감각들을 언어화 해 우리의 테이블 위에 올려둔다. 수많은 세미나, 팟캐스트, 집회, 강연, 파티를 기획하며 새로운 판을 까는 역할을 도맡는다. 사회활동가이자 연구자인 그에게 '액티비스트 리서처activist researcher'라는 이름도 붙었다. 남성 문법이 통용되는 도시에서 페미니스트로 '잘' 살아남기 위한 방법이 궁금하다면 백희원의 입과 글에 시선을 고정해볼 법하다.

백희원을 만나기 전, 그의 수많은 활동 기록과 글을 탐독했다. 글로 만난 백희원은 진취적이되 섬세했고 단단하되 부러지지 않았다. 내가 그린 백희원이 정말 그런 사람일지 그의 생생한 표정과 손짓과 말투를 보고 싶었다.

---

* 기본소득 : 자산심사나 노동 요구 없이 모든 사회구성원 개개인에게 생활에 충분한 금액을 현금으로 지급하는 아이디어

* 생활동반자법 : 혈연이나 혼인 관계가 아닌 동거가족 구성원들이 기존 가족과 똑같이 법률적 보호를 받도록 하는 아이디어

희원님을 찾아보면서 저의 고민 지점들을 미리 고민하신 것 같아 즐거웠어요. 우선 백희원이 정의하는 백희원이 궁금해요.

> 직업적 정의는 아니지만 본질적으로 느낌이 많은 사람이에요. 살면서 느끼는 감정, 생각, 느낌, 필요한 것들에 반응하고 다가온 어젠다나 주어진 역할에 그때그때 접속해요. 제가 다양한 것에 걸쳐있다고 보실 수 있는데 저에게는 모든 일이 하나의 경로에요. 보통 강연에 나가면 '도시에서 일하고 공부하는 80년대 후반에 태어난 여성'이라고 소개하곤 해요.
> 활동의 방식으로 저를 설명하자면 운동의 스펙트럼에서 현장에 나가 투쟁하는 사람도 있을 것이고 정치에 가까운 곳에 있는 사람도 있을 텐데 저는 운동과 정치 사이에 있는 것 같아요. 그 속에서 콘텐츠를 기획하고 직접 쓰고 말하는 일을 해요.

'느낌이 많은 사람'이라는 말이 인상적이에요. 어떤 느낌들이 모여 지금의 백희원이 되어왔는지 궁금하네요. 그런 계기가 되는 특별한 느낌이 있었나요?

특별한 계기나 느낌이 있었다기보다는 어릴 때부터 사회에서 내가 기여할 수 있는 것이 무엇인지 질문했어요. 그렇다고 철저한 계획과 목적을 가지고 '이런 사람이 될 거야'라고 결심하는 타입은 아니었어요. 다만 남을 착취하면서 경쟁에서 이기는 것을 피로하게 느끼고 있었던 건 분명해요.

대학에 오면 조금 달라질 거라 생각했는데 제 기대와는 너무 달라서 빨리 졸업하고 싶은 마음만 있었던 것 같아요. 사회에 대한 문제의식은 계속 가지고 있어 집회에 참여하곤 했는데 '두리반'이랑 카페 '마리'라고, 청년들이 모인 철거 투쟁 현장에서 기본소득 의제를 듣게 되었어요. 이 의제를 더 알아보고 알리는 일을 해보고 싶다는 생각을 하게 되었죠. 그게 2012년이에요.

왜 많은 의제 중에 기본소득이었을까요?

기본소득을 알기 전에 저는 방황하고 있었어요. 집회 현장에 가서도 나의 자리를 잘 모르겠고 기존 질서 안에 들어가는 것도 저한테는 선택지가 되지 못해 혼란스러웠어요. 그러다 우연히 기본소득을 알게 되었고 왜 우리에게는 기본소득이 필요한지 생각하게 되었죠. 기본소득은 "모든 사회 구성원에게 생계를 유지할 수 있을 만큼 충분한 금액을 매달 현금으로 지급하자"는 하나의 명료한 아이디어이지만 우리 앞에 놓인 불평등, 빈곤, 노동, 복지국가 시스템, 페미니즘, 생태적 삶과 같은 다양한 이슈들과 연결되어 있어요.

이런 측면에서 그동안 모호하고 막연하게 느껴왔던 것을 기본소득을 통해 언어화할 수 있을 것 같았어요. 내가 말하고 싶은 것을 같이 말할 수 있는 사람들과 만들어나가는 새로운 판이기도 했구요. 그때는 몰랐지만 첫 1년은 엉망진창이었어요(웃음). 사람들이 정말 기본소득에 관심이 없어서 기본소득을 무엇이랑 이야기하면 좋을지 고민을 많이 했던 시기에요.

그래서 어떻게 이야기하셨나요?

그때 잡았던 키워드가 '공공성'이에요. 저성장 상황 속에서 국가 중심의 공공성에 위기가 왔고 이를 회복하기 위해서는 개인을 환대할 수 있는 사회가 필요하다는 관점을 잡았죠. 이것으로 일종의 포럼인 공공그라운드를 개최했고 일과 학습, 가족과 관련된 청년 위기를 이야기하면서 기본소득을 끼워 넣었어요.

공공그라운드를 개최한 시점과 대학원에 진학한 시점이 비슷해요. 활동에 전적으로 뛰어들지 않고 대학원을 선택한 이유가 궁금해요. 저도 고민 끝에 대학원 입학을 앞두고 있어서요.

> 솔직하게는 일을 하지 않고 활동에 집중할 수 있는 시공간이 필요하다는 현실적 이유도 있었어요. 또 기본 소득이 언젠가는 될 텐데 그 이후의 라이프 스타일은 어떻게 될지, 사회적 경제나 커뮤니티 레벨에서의 삶의 양식에 관심이 있었어요. 그래서 사회적 경제조직에 대해 연구하는 협동조합 경영학과에 진학했어요.

희원님은 AYARF[Asia Young Activist Researcher Fellowship]에서 '액티비스트 리서처로서의 청년'이라는 주제로 발표를 하기도 했어요. 대학원에서의 공부와 연구가 활동에 도움이 되셨나요?

> 사회적 경제를 공부하고 싶었는데 막상 들어가 보니 경영학이라는 학문 자체가 재미있었어요. 전 대학 때 인문학을 전공했고, 아무래도 신자유주의에 대한 비판적인 인식이 많아서 경영학적 방법론을 접할 일은 없었거든요. 경영학은 굉장히 기술적인 학문이잖아요. '기본소득이 제품이라면 어떤 식으로 팔아야 할까?' 상상하는 것이 흥미로웠어요. 그때 배운 것이 지금

많은 도움이 되고 있어요.

아무리 좋은 어젠다라도 사람들을 설득하기 위해서는 잘 팔리는 무언가 혹은 포인트가 필요한 것 같아요. 기본소득도 이슈 파이팅의 측면에서 매우 성공했다고 생각하는데 어떠세요?

저희가 잘해서라기보다는 알파고가 나와서 폭발적으로 이슈화 되었어요(웃음). Y콤비네이터[1]에서 기본소득 실험을 하겠다고 하니까 그전까지는 이 담론에서 절대 모이지 않았던 테크tech 쪽 스타트업에서 일하는 사람들이 관심이 생긴 거예요. 그리고 당시 성남시장이었던 이재명 경기도지사가 청년 기본소득 이야기를 하면서 이슈가 확산되는 등 외부 요인이 컸던 것 같고요. 그때부터 강의 요청이 많이 들어왔는데 그동안 쌓아왔던 것에 기반해서 대응했어요. 사실 뛰어나게 했다는 평가는 없어요(웃음).

이슈화되기 전에는 공공그라운드나 복지국가청년네트워크를

1 초창기 Dropbox, Airbnb 등을 키워낸 실리콘 밸리 액셀러레이터. Y콤비네이터의 샘 알트만은 인간의 노동 자리가 부족한 사회에서 발생하는 불평등 문제를 해결하는 방법으로 2016년 기본소득 실험에 투자하겠다고 밝혀 화제가 된 바 있다.

통해서 세미나를 열거나 토론회를 만드는 시도를 했었는데 잘 안 됐어요. 경영학을 공부하기 전까지 핵심 메시지나 슬로건 추출에 대한 개념 자체가 없어서 어떻게 해야할지 잘 몰랐던 것 같아요. 어떻게 보면 계속 실패한 거예요. 그런데 실패하면서 여기까지 계속 올 수 있었던 것이 중요한 것 같아요.

실패가 오히려 다음 단계로 가는 새로운 힘을 주는 건가요?

실패를 하면 속상하긴 한데 '내가 무언가를 열심히 한다면 실패해도 의미가 없지 않을 거야!'라는 생각이 있는 것 같아요. 그리고 빨리 다음 걸 하고 싶어요. '벌려놓으면 어떻게든 되겠지' 이런 생각이에요. 막상 시작하면 '왜 한다고 했지' 하긴 하지만요(웃음). 20대 때는 이런 생각들이 활동을 해나가는 데 많은 도움이 되었어요.

저는 어떤 일이든 '왠지 안 될 것 같아!'라고 먼저 생각해 버리곤 하는데요.

'안 될 것 같아'가 아니라 '안되…나?'(웃음) '기본소득을 어쩌면 사람들이 듣지 않을까?'라는 생각이 있었어요.

그럼에도 기본소득을 외치는 것이 밥을 먹여주지 않잖아요. 요즘 1인분의 몫을 하고 싶다는 생각이 많이 들어서 신념과 대의도 좋지만 돈을 버는 것이 우선이어야 하나 라는 마음이 불쑥불쑥 올라와요. 희원님은 우선하는 가치를 잘 지켜나가고 계신 것 같은데 흔들리지 않는 내적인 힘이 어디서 나오는지 궁금해요.

> 하기 싫은 걸 못하는 것 같아요. 같이 사는 친구가 자기는 걱정이 많은데 너는 상대적으로 걱정이 없는 것 같다고 했어요(웃음). 그리고 메시지를 전하고 싶은 욕구가 되게 강해요. 일을 하면서 지난한 순간들이 있었는데 '나는 이 시점에 이 메시지를 전달하고 싶었지!'라는 생각으로 버틸 수 있었어요.

같이 아이디어를 발전시켜나가는 동료가 중요한 것 같아요. 희원님의 글과 발언에서 함께 단체를 꾸려나갔던 동료에 대한 신뢰와 애정이 느꼈어요. 그분들과 어떻게 일을 해나갔는지 혹은 해나가고 있는지 궁금해요.

지금은 일하는 멤버의 범위가 넓어졌지만 초기 3~4년 같이 일한 동료들은 저마다 특성이 있었어요. 저는 새로운 아이디어가 막 생각나서 해보고 싶은 것이 많은 사람이었고, 동료 중에는 실패해도 괜찮은 사람, 덤덤한 인내심이라는 덕목을 가진 사람, 에너지 많은 사람 등이 있었어요. 이런 조합이 괜찮았던 것 같아요. 다른 방법을 강구하자고 강하게 말하는 사람이 있었다면 중단했을 수도 있었을 텐데 실패해도 괜찮은 사람들과 있으니까 성장할 수 있었다고 생각해요.

여러 목소리가 모여 이제는 기본소득 의제를 설득하지 않아도 사람들이 모이고 문을 두드리게 된 것 같아요.

기본소득이 저희가 처음 주장하던 것과 달리 확장되면서 덕분에 기본소득을 통해서 사람을 만나는 일이 어렵지 않게 되었어요. 더 어린 세대 사람들도 많이 만나게 되었고요. 이 의제가 다양한 사람을 불러 모으는 좋은 플랫폼이 될 수 있다고 생각해요.

좋은 플랫폼으로 기능하기 위해서는 최종적인 목표보다는 구성원들이 그것을 어떻게 지향해나갈 것인지 그 과정이 더 중요하다고 생각해요. BIYN에는 '성평등 약속문'이 있잖아요. 강연에서 "운동을 시작하거나 조직을 만들어가는 사람들한테 수평적으로 미션을 함께 지향하면서

“

다른 방법을 강구하자고
강하게 말하는 사람이 있었다면
중단했을 수도 있었을 텐데
실패해도 괜찮은 사람들과 있으니까
성장할 수 있었다고 생각해요.

”

차이를 인정하는 구체적인 방법이 필요해서" 성평등 약속문을 만들었다고 말씀하셨어요. 2018년 성평등 약속문을 도입하고 나서 조직에 생긴 변화가 있나요?

사소하지만 중요한 변화들이 있었어요. 성평등 약속문을 발표하면서 동시에 BIYN 조직에서 일할 수 있는 기회를 개방했어요. 그전에는 운영위 다섯 명이 일하고 후원회원이 있는 형태였지만 회원 중 우리와 같이 일을 하고 싶은 사람이 있으면 제안을 달라는 형식으로 바꿨어요. 그러면서 새로 들어온 구성원들이 있는데 성평등 약속문을 통해 여기가 안전한 곳이라는 약속을 함께 발표했기 때문에 그들을 이곳에 초대할 수 있었다고 생각해요.

이전 운영위는 사적으로 너무 친밀한 사람들이었어요. 그래서 언제부터인지 모르게 회의와 같은 공적인 자리에서 말을 편하게 하고 농담을 주고받기도 했어요. 조직에 늦게 들어온 동료가 이에 대해 피드백을 줬고 그때 깨달았어요. 큰 조직이 아니고 체계가 잡혀있지 않기 때문에 애매한 순간들이 생기는 거죠. 성평등 약속문은 젠더 평등을 주로 이야기하고 있지만 더 나아가 조직에서 명시적이지 않은 위계를 없애는 데 도움이 되었던 것 같아요.

느슨한 조직에서 섬세함과 예민함을 찾아 나가는 과정이네요. 지금 제가 단체들에서 활동하며 어떻게 행동했는지 복기하고 있어요. 많은 반성이 필요하겠어요.

약속문을 발표한 후에는 저도 회의에 들어가면 당연히 존댓말 쓰고 내가 다른 사람들이 이해할 수 없는 이야기를 하지는 않았나 다시 생각해보게 되었어요. 다른 멤버가 자기도 모르게 그런 이야기를 할 때 약속문에 근거해서 '그렇게 하지 마세요'라고 이야기할 수도 있고요. 이 약속문이 있었기에 저희 조직에 관심을 가지고 사람들이 더 모이게 된 것 같아요. 성평등이라는 가치가 중요한 사람들이 모이게 되면 그 조직 안에는 성평등 문화가 더 강화되고 이걸 기반으로 더 편하게 일할 수 있게 되는 것 같아요. 그분들이 적극적으로 새로운 룰을 만들어나가기도 하고요.

다른 조직에서도 성평등 약속문을 만들려는 시도가 생기고 있다고 들었어요. 놓치지 않아야 하는 것이 있다면요?

처음에는 사건을 해결하는 처리 규정이나 매뉴얼을 가지고 있는 것이 중요하다고 생각했어요. 그런데 만드는 과정에서 우리가 왜 이것을 만드는지 이야기하고, 함께 공표하고, 잘 작동이 되는지 논의하며 이 약속문이 우리에게 중요하다는 신호를 보내는 것이 중요한 것 같아요.

다른 조직에서 참고하러 오시면 어려워도 일부만 모여서 만들지 마시고 다른 구성원들도 함께 필요성에 대한 합의를 하셔야 한다고 말씀드려요. 회사에서도 여기에 쓸 만한 시간이나 돈 같은 자원이 있어야 하고요. 그냥 문자로 있는 것은 그리 중요하지 않아요. 그러면 CTRL+C,V(복사, 붙여넣기)해도 상관없죠. 공동의 일로 만드는 과정이 반드시 수반되어야 해요.

BIYN이 백희원의 중심축이라면 녹색당에도 소속되어 계시잖아요. 처음 백희원을 정의할 때 스스로 운동과 정치 그 사이의 영역에 위치한다고 말씀하셨는데요. 영역 확장을 하시게 된 이유가 궁금해요.

녹색당 가입은 2014년에 했어요. 계기가 있었던 것은 아니고 기후 위기가 나에게 5번째쯤 중요한 주제이고 누군가 싸워주었으면 좋겠다고 생각할 때 녹색당을 알게 되었어요. 그러다 밀양 송전탑 투쟁 때 함께 투쟁했었고, 이후에 녹색당이 기본소득을 당론으로 채택하면서 같이 전국투어를 다녔어요. 그 뒤로 평당원으로 지냈는데 작년 말에 공동정책위원장을 제안해 주셔서 함께 하게 되었어요. 나름의 결심을 하고 받은

> 자리인데요 하나는 장이라는 걸 두려워하지 말자고 생각했고,
> 다른 하나는 페미니스트 서울시장으로 선거를 치른 신지예의
> 등장 때문이에요. 주목받는 여성 청년 정치인이 녹색당에서
> 나타난 건 필연적이라고 생각해요. 모든 임명직, 선출직에 여성이
> 1인 이상 있어야 한다는 원칙이 있거든요. 다른 당에서는 이런
> 기획이 등장할 수 없는 구조잖아요.
> 여성의 목소리로 중요한 의제들을 정치 안에 복원시키는 데 저의
> 감각이 유효하다면 해보고 싶다는 생각이 있었어요.
>
> 저도 내가 자격이 있나 생각을 많이 해요. 경제학 박사도 아니고
> 정책학을 배운 것도 아니지만 오히려 지금은 생활인의 감각으로
> 사람들이 소통할 언어를 개발하는 것이 필요하다고 생각해요.
> 해보고 안 되면 누군가가 또 하지 않을까요(웃음).

저희는 보통 일을 임금을 위한 수단으로 생각하는데 회원님은 생각이 다를 것 같아요.

> 저한테는 일이든 활동이든 나를 돌보는 것이든 모두 사회에서
> 가치를 생산하는 것이라고 생각해요. 반드시 임금노동을
> 통해서만 이 사회에 기여하고 가치를 만드는 것은 아니잖아요.
> 임금노동 외의 일들이 존재해야 비로소 임금노동이 존재할

수 있는 거죠. 예를 들어 공장에서 일하시는 분이 있다면 공장 밖에서 시간이 잘 운용되는 것이 중요하잖아요. 임금 노동을 하지 않으면 나머지 일을 할 수 없게 되는 지금의 구조가 오히려 내가 지금 하고 있는 일의 가치를 제약한다고 생각해요. 그래서 기본소득이 필요한 것이라고 생각하고요.

생활동반자법 국회 본회의 통과를 위해 BIYN 내부에 '보스턴 피플팀'을 만들어 활동 중인데요. 백희원의 주거 연대기가 궁금해요.

어학연수 갔을 때는 기숙사 생활을 하기는 했지만 대학 졸업 때까지 부모님 댁에 살았어요. 직장에 들어갔을 때 친구가 "집을 구해서 살 생각 있니?"라고 물어봐 바로 "좋아"라고 답했어요. 그리고 그 주 주말에 바로 집을 보러갔죠. 그때 봤던 집이 괜찮아서 바로 계약을 했고, 계약한 후에 부모님께 말씀드렸어요(웃음). 그 집은 좋은 집은 아니었고 싼 집이었어요. 처음에는 곧 재개발도 되겠고 2~3년 살겠지 생각했는데 살다 보니 5년을 살게 되었어요. 물론 재개발도 되지 않았고요.

보통 첫 2~3년 동안은 나에게 집이 어떤 공간인지 잘 모르잖아요. 자취 경험이 있으셔서 아실 것 같긴 한데요. 그렇게 지내다가 회사 다니고 BIYN하고 일하면서 잘 쉬는 게 중요해지는 거예요. 그런 고민이 있을 때 다른 친구네 집에 놀러 갔는데 '아, 집이 이랬으면 좋겠다'는 생각이 들더라고요. 친구가 마침 옆집이 자기네 집이랑 똑같이 생겼는데 비었다 그래서 이사를 왔어요. 그 집에 지금 계속 살고 있어요.

지금도 친구분과 같이 사시는 건가요?

네.

계속 함께 살 생각도 있을까요?

사실 그전까지는 임시적으로 같이 살고 있다고 생각했어요. 그런데 이사할 때 친구랑 도면을 그리고 공간을 어떻게 구성하면 좋을지 계획하면서 계속 같이 살아도 좋겠다는 생각이 들었어요.

저도 친구들과 나중에 함께 살아보자, 우리가 함께 모여 사는 단지가 있어도 재미있을 것 같다는 얘기를 자주 하곤 해요. 현실적으로는 너무 어렵지만요. 어찌 되었든 다들 결혼을 생각하지는 않는 것 같아요.

> 학생은 다를 수밖에 없다고 생각해요. 외부요인의 영향을 받으니 안정적인 주거가 어렵잖아요. 그렇지만 저희는 직장인이고 30대에 들어가는 시점이었으니까 생활을 좀 더 안정화하는 방향으로 생각을 했어요. 저도 결혼하지 않을 것 같거든요. 비혼여성주거 활동도 이때 시작하게 되었어요.

비혼을 중심으로 여성들이 적극적으로 모이고 있어요. 비혼이 가지는 힘이 무엇일까요? 희원님이 비혼을 통해 전달하고 싶은 메시지를 말씀해 주셔도 좋아요.

> 한국에서 결혼은 여성이 딸로서, 여성으로서, 며느리로서만 온전해지게끔 만들어요. 가족에 속하지 않은 여성은 정책적으로 붕 뜬 존재, 존재하지 않는 존재로 남게 되죠. 저는 비혼을 통해서 여자가 결혼하지 않아도 추가적인 자격이 필요한 사람이 아니라는 걸 말하고 싶어요. 한국의 가족주의에서 여성이 하나의 정체성이나 그 역할에 들어가야만 온전한 시민인 것이 아니라는 걸 잊지 않게 해주는 언어라고 생각해요.

> 이런 맥락에서 강력하게 비혼, 비연애, 비출산을 주장하시는 분들이 많은데 저는 그렇지는 않아요. 억압에 대항하는 것으로서 비혼을 주장하시는 걸 매우 긍정하고 훌륭하다고 생각하지만, 저는 지금 저의 상태를 긍정하는 언어로서 비혼을 이야기하는 부분이 컸어요. 결혼하지 않는 것은 저의 주체적인 선택이니까요. 비혼은 여성의 주체성을 잘 드러낼 수 있는 단어에요.

여성에게 결혼은 거의 유일한 선택지처럼 여겨져 왔다고 생각해요. 결혼하지 않는 여성의 삶을 아무도 질문하지 않고, 결혼하지 않고 어떤 삶을 살아갈 수 있는지 구체적으로 그려지지 않는 것도 사실이고요.

> 여성들이 비혼을 선언하면서 결혼이라는 남녀 2인의 관계에서 벗어난 새로운 관계에 대한 욕구가 수면 위로 드러나고 있다고 생각해요. 결혼을 하더라도 가족의 형태가 다양한데 결혼을 하지 않는다면 더욱 다양한 삶의 모양이 생길 수 있죠. 사실혼 관계, 저처럼 친구와 함께 살기, 한 집에 여러 명이 주거 공동체를 이룰 수 있고, 각자 살면서 동네에 모여 살 수도 있고요.
> 아직은 회색 지대인 비혼의 삶을 분명한 삶의 모양으로 하나씩 결정해보자는 생각을 하고 있어요.

점점 선명해지고 있는 결혼 밖의 관계들을 법적인 가족으로 인정하자는

움직임이 있어요. 이전에 진선미 의원이 생활동반자법 발의를
시도했지만 되지 않았었죠?

네. 시도는 좋다고 생각하는데 진선미 의원 인터뷰를 보면 생활동반자법이 3인 이상 가구에는 동반자 관계가 적용되지 않아 한계가 있다고 생각했어요. 2인만 인정한다면 기존의 결혼제도와 거의 유사하잖아요. 프랑스 시민결합PACS도 2인 관계만 인정해 주는데 프랑스에서는 '너네 팍스PACS했는데 그래서 결혼은 언제 할 거야?'라는 압박이 있다고 들었어요. 생활동반자 관계가 꼭 사랑하는 사람들의 파트너십이어야 할 필요는 없잖아요. 그것보다는 비혈연 비성애적인 가족을 상상할 힘이 더욱 필요하다고 생각해요.

그러면 가족이 되기 위해 필요한 것은 무엇이라고 생각해요?

안전이랑 사적인 부분에서 보호해 주는 것. 그리고 지지해주는 것이요. 무조건적인 지지가 아니라 '네가 해본다면 나쁜 일은 아니겠지'라는 지지가 필요한 것 같아요. 그건 어떻게 보면 타인이어서 가능하다고 생각해요. 혈연이나 연애 관계 모두 과한 지지와 걱정을 주고받곤 하니까요. 그래서 저는 우정이 가족 관계를 표현하는 데 적절한 단어라고 생각해요.

지금 사는 친구 분과도 가족이라고 생각하는지요?

> 자연스럽게 말하게 되는 건 아니고 그렇게 생각하고 말하려고 노력해요. 일종의 나만의 운동으로서요(웃음).

가족의 형태가 다양할 수 있는 만큼 한 사람이 다양한 가족을 경험할 수 있잖아요. 희원님은 앞으로 어떤 가족을 꾸리고 싶다는 상상을 한 적 있나요?

> 농담처럼 말하지만 성인 4명에 아이 1명, 강아지 1마리를 키우는 것이 매우 적절한 것 같아요(웃음). 말하고 보니까 정말 그렇게 하고 싶다는 생각을 하게 되었는데 저는 돌봄과 양육에 대한 욕구가 있지만 삶이 안정되기 전에는 어렵다고 생각해요. 지금은 방 하나씩을 가지고 두 사람이 사는 셈인데 조금 더 적극적으로 공동 공간을 구성할 수 있게 되면 좋을 것 같아요. 그러려면 이런 수요가 시장에 많다는 것이 드러나고 이런 집들이 만들어져야겠죠.

한국의 집 유형은 3가지인 것 같아요. 1번 원룸, 2번 신혼부부 맞춤형 집, 3번 4인 가족 아파트요. 다른 삶을 상상하더라도 상상력이 집 안에 갇히곤 해요. '형식이 내용을 결정한다'는 말처럼요.

제 친구는 네 명이 함께 살고 있는데 같은 크기의 방을 가진 집을 찾기 어려워 이사를 못 하고 있다는 이야기를 했어요. 아파트는 큰 안방에 작은방들이 있는 구조라 부부나 아이가 살기 좋게 설계되어 있고 다세대 주택은 1인 가구를 받으려고 원룸으로 쪼개져 있잖아요. 집 유형에서 여성은 결혼하거나 가난한 1인 가구가 되라는 사회 통념이 그대로 드러나는 거예요. 다르게 살아보려 해도 주어진 집이 한정적이니 어려운 것 같아요.

어렵게 누군가와 함께 살 집을 구하더라도 자금 마련이 쉽지 않은 것도 현실이에요.

대출을 받지 않으면 거의 불가능하죠. 대출받는 것도 결혼해서 아이가 있어야 유리해요.

요즘 청년 전용 저금리 주거자금 대출 정책이 나오긴 하던데요.

그렇지만 신혼부부 대출정책보다 금리가 높고, 비혼 가구의 경우 가족으로 인정받지 못한 상태에서 한 명이 행정적으로 책임을 져야 하는 상황이 좀 껄끄러워요. 여기서도 드러나지만 한국은 결혼을 하지 않으면 손해를 보는 구조에요. 삶에 위기가 와요. 국가는 국가가 정한 라이프 스타일을 강요하는 것이 아니라 개인들의 욕구가 반영된 여러 선택지를 인정해야 한다고 생각해요.

No One Left Behind

이야기 나누면서 '기본소득'과 '생활동반자법'의 교차점을 찾은 것 같아요. 둘 다 개인이 기존의 문법에서 벗어나 자신이 원하는 삶을 선택하고 결정할 수 있도록 하는 자기결정권을 확보하기 위한 시도이지 않을까요?

맞아요. 두 정책 모두 개인에게 협상력을 주는 거예요. 이 협상력은 상대적으로 힘이 없는 사람의 힘을 강화한다고 생각해요. 그런 점에서 페미니즘 논의를 뺄 수가 없어요. 지금껏 여성은 노동 시장에서 불리한 조건에 있기 때문에 남성과 결혼을 할 수밖에 없고 결혼해서는 무급의 돌봄 노동을 떠안았어요. 이런 구조는 여성들을 온전한 시민으로 존재하지 못하게 했다고 생각해요. 기본소득이 지급되면 여성은 이런 길을 택하지 않을 수 있는 협상력을 갖게 돼요.

생활동반자법은 여성이 자신을 가부장제 정상가족으로 밀어넣는 힘에 저항하고, 새로운 가족을 꾸려 다른 삶을 살 수 있는 힘을 주는 거예요. 법이 통과된다면 미혼의 상태가 불안정하다는 이유로 결혼을 하거나, 혼자가 되면 경제력이 없다는 이유로 이혼하지 못하는 경우가 줄어들 수 있을 것이라고 생각해요.

도시는 남성 문법이 통용되는 공간인데 이 속에서 여성들의 연대가 단단해지고 있다고 느껴요. 여성들이 어떤 방향으로 나아가면 좋겠다는 바람이 있다면요?

빅픽처를 거창하게 생각해본 적은 없고, 다만 'Girls can do anything!여성은 무엇이든 할 수 있다'이라는 구호가 'No one left behind누구도 소외되지 않아야 한다'라는 구호와 같이 가야 한다고 생각해요. 여성에게 더 많은 기회와 자원이 가야 하는 한편, 자원과 기회에 접근할 수 없는 사람들이 계속 발생한다고 느껴지거든요. 예를 들어 청년 지원 관련한 공모가 떴다고 하면 공모전을 아는 사람들도 있지만 공모전이 뭔지 모르는 사람들이 존재하잖아요. 여성 운동을 하면서 성취를 더 많이 하는

“

여성 운동을 하면서 성취를
더 많이 하는 사람들이 생기는 것도 좋지만
동시에 바닥으로 떨어지지 않도록
함께 챙겼으면 좋겠어요.

”

사람들이 생기는 것도 좋지만 동시에 누군가 바닥으로 떨어지지 않도록 함께 챙겼으면 좋겠어요. 이것이 제가 생각하는 연대와 신뢰에요.

마지막으로 오늘도 자신만의 운동을 실천해나가는 청년 여성들에게 하고 싶은 말 덧붙여주세요.

경제적 지속가능성을 지금부터 고민하는 것은 중요해요. 그렇지만 정규직이 되고 결혼하는 것만이 유일한 길은 아니고 무엇을 상수에 두느냐가 중요하다는 걸 기억하면 좋겠어요. 저는 그중에서도 자기 욕망을 상수에 두는 게 중요하다고 생각해요. 우리 세대는 앞세대를 참조할 수는 없는 것 같고, 피어peer, 동료 그룹과 공통 욕구를 나눠서 전략을 같이 고민하는 게 중요한 것 같아요. 신뢰할 수 있는 동료를 빨리 찾는 것이 좋은 방향으로 이끌어준다고 생각해요.

하나만 더 덧붙이면 자기 희생을 당연시하지 않았으면 좋겠어요. 누군가가 그게 당위적으로 옳기 때문에 나를 기획하려고 들거든 절대 응하지 마세요. 오히려 사회 변화와 연결된 활동에 그런 덫이 많은 것 같아요. 경제적 이익이 명확하면 거래 조건이 명확하게 성립하겠지만 가치를 둘러싸고 투쟁하는 장이 대부분이기 때문에 그래요. '해일이 일고 있는데 겨우 조개나 줍고 있는가?'[2]라는 말들에 속지 말고, 모르는 만큼에서 출발해도 좋을 것 같아요. 흔들리지 않고요.

2 2002년 대선 기간에 발생한 개혁당 성폭력 사건과 관련해 유시민이 한 발언. 선거에 당선되는 것과 같이 거대한 해일에 비해, 성폭력 사건 처리가 미미한 일이라는 의도가 담겨있다.

원고를 정리하는 계절의 초입, 코로나19로 모든 것이 멈추었다. 계획대로 움직일 수 없는 일상이 불편했지만 집에 틀어박혀 있을 수 있어서 어찌 보면 편안했고, 아르바이트가 파 나도 돈 쓸 일이 없다는 이유로 불안하지 않았다. 바깥세상은 멈춰 있지만, 온라인은 여느 때보다 뜨거웠다. 그러던 중 백희원의 페이스북 게시물을 보았다.

이 사회의 취약함이 줄줄이 드러나는 상황인 것 같은데 예컨대, 재택근무, 자가격리 같은 문구들을 보며

- 안전한 집이 없는 사람은 어떡하나

- 집 밖에 못 나가면 혼자 고립되는 사람은 어떡하나

- 집 안에 누군가를 부르지 않으면 살 수 없는 사람은 어떡하나

"기본소득이나 생활동반자법처럼 하루 빨리 앞당기고 싶었던 정책들이 지금 바로 필요하다고 생각되니까 불안감 때문에 더더욱 운동적 비전도 안 보이는 그런 기분이 들지만 오늘의 할 일을 합니다"

백희원은 위태로운 상황에서 '정상성' 경계 밖의 개인을 떠올렸다. 조금만 시선만 돌려도 취약한 개인이 존재한다는 것도, 나도 언제든 그러한 위치에 놓일 수 있다는 사실도 잊고 있던 내가 못내 부끄러워졌다.

백희원이 그토록 바라는 기본소득과 생활동반자법이 실현된 삶을 선명하게 상상할 수 있었다. 가족을 벗어나 개인들이 서로에게 응원과 의지가 될 수 있는 사회, 잠시 일을 멈춰도 일상이 흔들리지 않는 사회, 내가 원하는 사람들이 나를 돌봐주는 사회, 무엇보다 여성이 숨 쉴 수 있는 사회.

기본소득과 생활동반자법은 삶에 선택지를 더해주는 일임과 동시에 바닥으로 떨어지지 않게 해주는 정책이라는 것을 비로소 이해했다. 개인 그리고 여성이 안전하고 단단한 삶을 살 수 있도록 하는 최소한의 마지노선임을.

그는 오늘도 할 일을 한다. 안일함에 몸이 무거울 때면 백희원을 꺼내본다.

2 서울소셜스탠다드(3siot) 대표 김하나

노동과_주거에서의_자기결정권

주거는_개인이_아닌_사회의_문제

신신_신벗

김하나는 서울소셜스탠다드[1](이하 삼시옷) 대표다. 그는 집이나 공간 건축을 계획하고 돈을 모으고 땅을 찾고 짓는다. 많은 유형의 집이 있지만 지금 그의 관심은 같이 또 따로 사는 공유주택이다. 정림건축문화재단과 함께한 '통의동집'을 시작으로 연남동 '어쩌다집', 신림동 '소담소담', 궁정동 '청운광산'이 바로 그의 손에서 나왔다.

집을 짓는 건 김하나의 전부이자 일부다. 집 짓는 것을 넘어서 다양한 사람들이 각자 나름의 형태로 사는 것을 꿈꾸고 이를 위해 사회의 변화가 필요하다고 믿는다. 삼시옷 대표인 그가 서울시나 정부가 주최하는 포럼에 얼굴을 자주 비추는 것도 그 이유다.

집이 사는living 곳이 아닌 사는buying 것이 되어 버린 지금, 그가 짓는 집은 우리에게 어떤 메시지를 전하고 싶은 걸까. 막 공사를 끝내고 입주를 앞둔 2019년 11월 공유주택 '청운광산'에서 김하나를 만났다.

---

1 서울소셜스탠다드는 초성(ㅅㅅㅅ)을 따 '삼시옷'이라는 애칭을 갖고 있다. 빠르고 밀도 높은 성장의 역사를 가진 서울Seoul을 배경으로 사람과 시간, 공간이 만드는 다양한 관계Social 속에서 지지해야 표준Standard은 무엇인지 발굴하고 만들어가는 것을 목표로 한다.

집에 창도 많고 바깥 풍경이 멋지네요.

집이 아직 정리가 다 안 끝났어요. 더 정리된 상태에서 초대하려 했거든요. 이 집이 전망이 정말 좋아요. 주변이 공원이고 산이어서요.

주변 건물이 저층이고 앞에 공원이 탁 트여있어 좋네요. 서울에 이렇게 고즈넉한 공간이 있을 줄 몰랐어요.

청와대랑 가까워서 고도제한이 있어서요. 이 집만 거의 유일하게 4층이에요. 저희도 운 좋게 찾게 되었어요.

집 얘기에 빠져 잠깐 한눈을 팔았네요. 저희가 궁금한 건 김하나 대표님인데요. 직접 본인을 정의해 주세요. 어떤 사람인지.

내가 지금 무엇을 하고 있는지, 다음은 무엇일지, 일과 나에 대한 고민을 많이 하는 편이에요. 그러면서 스스로 어떤 사람인지 많이 봤던 것 같아요. 삼시옷이라는 이름 때문에 세 가지 저주에 걸려서 뭐든 세 가지를 이야기하는 습관이 생겼는데요(웃음). 우선 저는 관찰을 잘합니다. 관찰에서 나오는 통찰력이 있지 않나 싶어요. 그다음은 체격에서 나오는 순발력이 좋고요. 마지막으로 상냥함에서 나오는 공감 능력이 있는 사람이라고 생각하고 있어요.

이런 장점들이 공간을 만드는 김하나와 어떻게 연결될 수 있을까요?

저는 길을 굉장히 잘 알아요. 한 번 간 공간은 거의 다 기억하거든요. 시각적으로 예민하다 보니까 아무래도 공간과 환경에 관심이 많았던 것 같아요. 그만큼 어렸을 때부터 공간에 대한 애정이 있었다고 볼 수 있겠네요.

공간과 도시에 대한 애정이 일로, 직업으로 이어졌네요.

결정적인 모멘트가 있다기보다는 그렇죠. 관심이 많아서. 건축학과를 졸업하고 건축사무소에서 일했는데 그때의 공부와 경험이 여러모로 도움이 많이 되었어요.
대학에서는 스튜디오 교육을 통해 문제를 스스로 해결하는 자기 주도적인 문제해결 방법을 많이 배웠어요. 일방적인 강의식lecture 교육과는 달랐어요. 아, 최근 단점이라고 생각이 드는 것도 있어요. 40명이 듣는 설계 수업에서 어떤 땅에 필요한 주택을 짓는 과제가 있다면, 교수님은 40개의 다른 대안을 바라세요. 사실 40개까지 대안이 필요하지 않을 수 있거든요. 너무 경쟁적인 교육을 받아 다름을 위한 다름을 추구하게 된 것 같기도 해요.

'다름'에 대해 고민을 하다가, 우리 회사의 슬로건도 '매일의 경험이 다른 집'이었는데 '매일의 경험이 새로운 집'으로 바꿨어요. 다르다는 것은 너와 나를 구분하는 거지만, 새로움은 내가 새로운 거잖아요. 조금의 단점은 있지만 그래도 스튜디오 교육이 굉장히 도움이 되었고요.

졸업 후 들어간 건축사무소에서는 압축적이고 입체적으로 표현하는 방식을 배웠어요. 설계사무소는 글이 아니고 도면을 그려서 전달해요. 글도 압축적일 수 있지만 녹취나 동영상은 다시 풀려면 시간이 매우 오래 걸리고 힘들잖아요. 도면은 하나에 많은 것을 압축해서 표현할 수 있어요. 저에게는 글 말고 의미를 전달할 수 있는 다른 방법을 배운 것이 매우 중요했어요.

집 짓는 일을 하면서 동시에 세입자 입장에서 살 집을 구하기도 하잖아요. 집을 구할 때 김하나에게 가장 중요한 것은 무엇인가요?

일하는 공간이랑 거주하는 공간이 거의 일치되는 것을 선호해요. 일에서 자기만족이나 자아 발견을 하는 타입이라 일과 삶이 잘 구분되지 않는 삶을 살아요. 그래서 거의 집은 일터에서 5분 거리였어요. 늘 따라다녔던 것 같아요.

우리가 서울을 떠나지 못하는 이유는 서울에 일이 있기 때문이라고 생각해요. 보통 30대를 넘어가면서 지불 가능한 공간을 조금 더 많이 점유하기 위해 서울 밖으로 나가게 되는데요. 20대 초반, 학교 다닐 때는 반지하, 옥탑방 상관없이 친구 옆에, 동아리방 가까이 살잖아요. 이것이 사실은 '내가 일이 있는 곳 가까이에 살고 싶다'는 의미라고 생각해요. 이 시기에는 일과 삶이 잘 구분되지 않고 내 삶 자체가 일이기 때문에 도시에 살 수밖에 없는 상황인 것 같아요. 내가 일이고, 일은 도시에 있고, 도시는 나의 집인 셈이죠.

일하는 공간과 집이 떨어져 있으면 정신적, 신체적으로 힘들더라고요. 감당이 불가능한 월세를 내고 자취를 시작했던 것도 그 이유에요. 김하나님이 기획한 통의동집 1층에는 특이하게도 외부인들이 자유롭게

“

내가 일이고, 일은 도시에 있고,
도시는 나의 집인 셈이죠.

”

출입하며 업무 할 수 있는 코워킹 스페이스가 있어요. 이 공간을 기획하실 때 일과 집에 대한 생각을 반영하려 하신 거죠?

저는 집만큼 일과 노동의 미래에 관심이 많아요. 이제는 9 to 6 평생직장이 없어지고, 노동 시간과 일하는 장소가 유연하게 바뀌고 있어요. 점차 내가 선택할 수 있는 여지가 많아지고 자기 결정권이 중요해지는 거죠. 일을 오래 하거나 많이 하는 것이 문제가 아니고 그것을 내가 선택할 수 있다는 것, 밸런스를 결정할 수 있는 것이 중요한 것 같아요. 여전히 그런지는 모르겠지만 대표가 집에 가지 않으면 집에 못 간다거나, 몸이 좀 아플 때도 회사가 바쁜 것 같으면 억지로 회사를 가야 한다거나 하는 경우가 있잖아요. 이렇게 자기 결정권이 없는 사회에서 내가 스스로 선택할 수 있는 길이 많아지는 방향으로 가야 하고, 가고 있다고 생각해요.

이런 아이디어를 통의동집에 반영해 보려고 했어요. 우리 삶은 이렇게 달라지고 있는데 대부분 집의 형태나 유형이 비슷하잖아요. 집의 형태나 용도에 있어 선택지를 넓히고 사람들이 선택할 수 있도록 만들 필요가 있다고 생각했어요. 기존의 셰어하우스에서 벗어나 조금 다른 주택이 가능하다는 것을 보여주고 싶었죠. 이것이 저희 회사의 가장 큰 목표예요.

다양한 선택지를 만드는 것.

주방 없는 주택 실험하기

4인 가족을 위한 아파트에서 주로 살아온 저는 김하나님이 하시는 일이 삶 자체에 선택지를 더해주는 일처럼 느껴져요. 새로운 삶의 가능성을 열어주는 느낌? 이전에는 표준적인 삶의 모습이 제시돼 있었잖아요. 대학 졸업 후 취직해서 결혼하고 아이 낳고 집 사고. 전형적인 서사죠. 그렇지만 기준이 바뀌고 있어요. '서울소셜스탠다드'도 우리가 지지해야 할 관계와 표준이 무엇인지 고민한다는 의미를 가지고 있는데 어떤 고민인지 더 묻고 싶어요.

최근 10년 동안 결혼, 가족 등 우리가 생각하고 지지했던 표준이 굉장히 급격하게 변하는 것을 보면서 '이것은 뭐지?'라는 생각이 들었어요. 주택 문제 역시 같아요. 한국의 주택은 85m²(25평)의

국민임대주택을 기준으로 지어지곤 해요. 국민임대주택이 중요한 이유는 단순히 크기의 문제가 아니라 대출 정책, 세제 혜택 등 주택에 대한 모든 것의 기준이 되기 때문이에요. 규모가 25평인 이유인 것도 1972년 당시, 가족 규모가 평균 5인이었으니 다섯 명이 한 명당 5평씩, 25평이 기준이라고 한 거죠.

요즘 5인이 일반적인 가족의 모습인가요? 1인 가구뿐 아니라 아빠와 아들, 싱글맘이 있는 집도 자연스럽고, 노부부가 사는 가정도 많죠. 다양한 형태의 가족 모습이 있잖아요. 여기서 더 나아가면 사회의 최소 단위를 가족으로 볼 것인가에 대한 의문도 생기죠. 그런데 아직도 우리는 더 이상 필요하지 않을 주택 유형을 공급하고 있어요. 이런 과거의 기준이나 표준이 바뀌어야 한다고 생각해서 1~2인을 위한 소형 주택에 대한 연구와 스터디를 시작했어요. 관심사가 확장되면서 새로운 주거 유형을 소개하기 위해 집을 만드는 일과 새로운 주택이 가능한 제도를 바꾸는 일을 하게 되었고요.

그 첫 시도가 공유주택 '통의동집' 이었고요?

네. 지금까지 공유주택은 자기 혼자 쓸 수 있는 공간을 최대로 하는 설계만 했었는데요. 저희는 통의동집에서 적극적으로 공유 공간을 구성하고 버려지는 복도 같은 공간을 적극적으로 활용해보려 했어요. 그다음에 지었던 집에서도 여러 실험을 해봤고요. 예를 들면 공유 공간은 없지만 여러 사람을 초대할 수 있는 새로운 유형의 집을 만든다든지요.

그런데 저희도 공유주택이 정답이라고 생각하지는 않아요. 사실 내가 모든 공간을 점유하는 것이 최고죠. 여유만 되면 이 집이 다 내 것이죠(웃음). 도시는 밀도가 높기 때문에 공간을 재편성하는 의미에서 공유주택 실험을 해나가는 거예요.

오늘 방문한 이곳 '청운광산'도 일종의 실험이라고 볼 수 있겠네요. 이 집에서는 어떤 새로운 시도를 하셨나요?

이곳은 주방이 없는 집이에요. 고시원이랑 똑같아요. 처음 공유주택 기획할 때는 혼자 사는 사람들이 혼자 사서 쓰기 어려운 자재를 같이 쓰는 것이 매력적이라고 생각했어요. 밥솥을 예로 들어볼게요. 1~2인 밥솥 10만 원 정도 하는데 안 살 수도 없고 되게 애매하잖아요. 보통 쿠쿠가 40만~70만 원 정도 하고 보온 기능이 3일 이상 잘 안 가요. 1인 가구일수록 이런 쿠쿠가 필요한데 밥솥 40만 원 주고 어떻게 사요. 진공청소기도 마찬가지고요. 그런데 5년이 지난 지금, 이번에 지은 청운광산에는 주방을 없앴어요. 선회님은 일주일에 집에서 저녁 몇 번 드세요?

거의 먹지 않아요.

그러면 저녁은 어떻게 해결하세요?

친구와 함께 바깥에서 먹어요.

그러니까요. 집에서 밥을 해 먹는 1인 가구가 드물더라고요. 이 집 같은 경우에는 주방을 없앤 대신, 좋은 재료를 써서 채식과 발효 중심으로 오랫동안 홍대에서 식문화 운동을 해온 김수향 대표를 설득해 '큔Qyun[1]'이라는 카페를 1층에 만들었어요. 이런 식으로 건강한 밥을 손쉽게 먹을 수 있게 하는 것이 삶의 질을 높일 수 있지 않을까 생각한 거죠. 큔에서는 근교농장과 결연해서 청운광산 주민을 위한 식료품 가게를 운영하기도 해요.

---

1 청운광산 1층에 있는 발효 식료품 카페. 2006년부터 농부들이 땀 흘려 기른 제철 재료로 음식을 만들어 내고 있는 카페 '수카라'의 자매점.

정말 새로워요. 건강한 식탁으로까지 이어지는 집.

처음에는 단순하게 생각했지만 막상 큔을 보고 나서는 새로운 문제의식을 느끼게 되었어요. 저는 과일을 굉장히 좋아하는 편인데요. 해외 연구를 보면 소득 수준이 낮아질수록 과일, 채소 섭취가 줄어든다는 연구들이 많더라고요.

청운광산 1층의 카페 큔은 외부인도 자유롭게 이용할 수 있는 공간이네요. 김하나님은 이 곳을 '제3의 공간' 혹은 'SEMI-PUBLIC PLACE준 공적 공간'으로 정의하셨어요. 독특하다는 생각이 들기도 하고 내가 사는 집 1층에 사람들이 자유롭게 드나드는 것이 이질적으로 느껴지기도 해요.

공유주택을 계획하는 것은 집이라는 굉장히 프라이빗한 공간에 남을 초대할 수 있는 공간, 조금 공적인 공간을 개입시키는 일이에요. 동시에 이런 환경은 공적 공간 안에 사적 영역을 만들어요. 거주의 경험을 풍요롭게 하는 거죠.

일반 주거공간에서는 집 안과 밖이 분명하게 나뉘고 그 경계는 신발을 신고 벗는지에 따라 형성돼요. 저희 회사에서 '신신신벗'이라는 말이 있는데, 보통 신신은 퍼블릭public, 신벗은

프라이빗private한 공간을 뜻해요. 저희는 경계가 불분명한 공간을 만드는 걸 중요하게 생각해서 신발을 벗는 입주자들만의 주방이 있다면 신발을 신는 모두를 위한 주방을 만들기도 하고 여러 시도를 하고 있어요. 응암동 집에서 신발 신는 주방을 처음 시도해봤는데 생각보다 입주자들의 만족도가 꽤 높았어요.

왜 집안의 '신신(신발 신는)' 공간을 중요하게 생각하시는 거예요?

신발 신는 공간이 집 안에 있으면 자연스럽게 나의 방이 도시와 연결돼요. '공유지의 비극'처럼 버려지고 외면하기 쉬운 공공 공간에 대한 애착을 심어줄 수 있죠. 이런 애착은 사회에 대한 관심으로 자연스럽게 연결된다고 생각해요.

역삼동 집을 운영하며 느낀 건데, 역삼동은 지대도 높고, 도시계획도 일반 동네보다 잘 되어있기 때문에 좋은 동네라고 생각할 수 있어요. 그런데 유흥업소가 많아서 동네 골목에 '찌라시'가 많이 뿌려지고, 소음도 심해 입주자들이 밤에 굉장히 힘들어하시더라고요. 어느 날 저희가 시키지도 않았는데 입주자들이 알아서 집 주변에 있는 '찌라시'를 줍는 거예요. 되게 뿌듯했어요. 사실 나에게 방 한 칸 주어져 봤자 얼마나 많은 공간이 주어지겠어요. 내가 집에 대한 애정이 생기면 자연스럽게 동네가 좋아져야 한다고 생각하게 되는 것 같아요.

지불 가능한 집

다른 인터뷰에서 집 앞의 작은 가게와 공원이 집의 마당 같은 역할을 한다고 하셨어요. 그런데 도시의 많은 건물이 1층에 주차장이 있는 필로티 구조에요. 집 마당에 차가 가득 들어차 있는 것과 마찬가지인 셈인데요. 이런 필로티 구조가 거주와 도시의 질을 낮춘다고 지적하셨죠.

필로티 구조로 인해 우리가 걸어 다니는 골목길은 사실상 거대한 지하 주차장이 된 셈이에요. 우리는 어둡고 무서운 지하 주차장을 걸어 내 집으로 가죠. 그렇기 때문에 대표적인 도시 문제인 주차, 범죄, 쓰레기 문제가 발생하는 것이고요. 차가 아닌 사람이 중심이 되는 건축, 걷고 싶은 도시를 만들기 위해서는 필로티 구조가 없어져야 해요.

일본은 자동차 소유자에게 주차 장소 확보를 의무화하는 '차고지 증명제'를 시행하고 있어요. 지금 제주도에서도 막 도입되었고요. 차고지가 명확하지 않으면 차를 못 사게 해야죠. 너무 먼 미래의 얘기일 수 있지만 자율주행차가 곧 진짜 실현될 것 같아요(웃음). 그러면 주차 문제가 해결되고 이렇게 투쟁하지 않아도 좋은 결과가 오지 않을까요?

말씀 들으면서 집을 타인과 공유하는 것을 넘어서 도시까지 연결성을 느낄 수 있었어요. 개인적인 공간이라고만 생각했던 집의 개념이 확장되는 것 같아요.

대학 다닐 때 신림동 고시촌에 살았어요. 친구들이 보통 방에서는 잠만 자고 삼선 슬리퍼 신고 근처 식당 가서 밥 먹고 카페에서 과제하고 PC방에 가요. 삼선 슬리퍼 신고 돌아다니는 영역, 즉 고시촌 전체가 다 자기 집인 거죠. 슬리퍼를 벗고 다른 신발로 갈아신는 순간 자기 집에서 나가는 거예요.

또 다른 예를 들어 볼게요. 1인 가구를 살펴보면 대부분 식재료를 배달해서 드시더라고요. 주방은 거의 필요 없어요. 가장 작은 주방, 최소한의 주방의 모형이 편의점에 있잖아요. 이것만 봐도 결국 집이라는 것은 단순히 나의 집 하나가 아니고 도시가 집이

> 되는 거예요.

'집의 외주화'라는 용어가 있더라고요. 집의 기능이 점점 밖으로 빠져나가고 있다는 뉴스를 봤어요.

> 맞아요. 통의동집에도 1층에 라운지가 있지만 그럼에도 앞에 있는 카페를 많이 이용하세요. 주거의 기능이 예전에는 다 집에 있었는데 이제는 집 밖으로 나가고 있어요.

집의 기능이 점점 밖에서 수행되고 있는데 월세 · 전세는 끝없이 오르고 있어요. 사실 삼시옷의 집들도 제 기준에선 월세가 저렴하지는 않아 제가 들어갈 수 있을지 모르겠네요(웃음).

> 지난 3년간 주택을 공급할 때 주변 시세와 같은 집을 만들려고 했어요. 시세 100%로. 우리가 만드는 새로운 유형의 집의 가능성이 시장에서 받아들여지고 확산되기 위해서는 저렴하면 안 된다고 생각했어요.
> 저희가 대부분 사회적 자본을 활용해 집을 지었기 때문에 저렴해야 하지 않냐는 질문을 많이 받는데요. 그 집에 사는 5명, 7명 저렴하자고 이런 실험을 하는 것은 아니었으니까요. 그래서 통의동집은 80만 원, 신림동은 35만 원으로 임대료를

책정했고요. 그런데 운영하면서 느낀 건 다 필요 없고 '지불 가능한 집'이 중요하다는 거였어요. 너무나 당연한 과제더라고요.

생각이 바뀐 시점이 언제인가요?

새로운 주택을 세 개 정도 만들다 보니 건축적으로는 여러 실험이 거의 다 완료된 상태였어요. 비록 시공 단계에서 무산되긴 했지만 100세대의 아주 큰 1인 가구 주택을 계획하는 프로젝트를 하면서 궁금점이 없어지기도 했고요.

그 후 다양성에 대해 고민하기 시작했어요. 다양한 것이 존재하기 위해서는 여지가 있어야 하고, 여지는 저렴한 것에서 나오는 것이었어요. 집으로 이해하기 어려울 수 있는데 가게를 보면 알 수 있어요. 우리가 좋아하는 동네를 가보면 뜨개방, 자전거포, 세탁소 등 편의점 말고 개성 있는 상점을 볼 수 있잖아요. 그런 동네의 비결은 상가 월세가 굉장히 저렴하다는 거예요. 그러니까 우리가 좋아하는 다양성을 확보하기 위해서는, 그리고 조금 다른 것을 실험해보며 준비하기 위해서는 저렴한 것이 기본적인 미덕이라고 생각하게 됐죠. 사실 2013년 통의동집을 만들 때는 지식과 경험이 부족해서 임대료를 낮출 궁리를 시도조차 못 했어요. 이번 청운광산을 지으면서는 임대료를 낮출 수 있는 방법에 한 발짝 다가갈 수 있었어요.

저렴한 주택이 필요하다고 주장하는 것보다 '어떻게'가 어렵고 중요한 것 같아요.

처음에는 정말 고민이 많았어요. 사실 임대료를 낮추는 건 개인이나 회사 차원이 아니라 정책적으로 해결해야 하는 일이잖아요. 서울시에 꾸준히 토지임대부 정책[2]을 요구하고 서울시 자투리땅만 보면 "여기에 청년 주택 지어야 해" 이야기를 많이 했어요. 그만큼 많이 불려 다니기도 했고요(웃음). 결국 비어있는 땅을 잘 찾아서 토지임대부 사업을 할 수 있었어요. 이 사업을 하면서 조금 저렴한 주택을 공급할 수 있을 거라 생각했는데 지금 보면 또 아니에요. 처음에는 이 집 월세가 20만 원대까지도 가능할 거라고 생각했거든요. 40만 원대가 될 것 같은데 저희 생각보다 임대료가 높죠. 토지임대부 사업은 저희가 15년 정도 서울시에 건설비를 갚는 구조에요. 대출 기간이 50년, 100년으로 늘어나면 월세는 더 떨어질 수 있어요.

---

2 서울시가 저리로 보유 토지를 민간기업에 빌려주면 민간기업은 주택을 지어 청년, 신혼부부, 노인 등 주거 취약계층에게 임대하고 운영하는 사업. 서울소셜스탠다드는 2019년 주택도시보증공사가 사회임대주택을 공급하는 데 필요한 사업지 조달을 지원하는 '사회임대주택 PF 보증' 제 1호로 승인됐다.

이것은 금융의 문제이지 주택을 싸게 짓는다고 해결되는 문제는 아니거든요. 사회에서 큰 믿음으로 돈만 빌려주면 다 해결될 수 있어요. 그런데 저희를 믿지 못하는 게 문제죠. "김하나 쟤 우리 돈 먹고 도망가면 어떡해?"(웃음) 믿음이 없는 거예요. 저희가 계속 잘하는 것을 보여주고 대출 기간을 늘리는 것이 중요한 것 같아요.

그만큼 집도 튼튼하게 지어져야겠어요. 오래가려면요.

사회는 '오래가는 것'에 관심이 없어요. 이 집 지을 때 시공사에게 "100년이 가는 주택을 지어주세요"라고 했는데 왜 그러냐고 하셨어요(웃음). 너무 어려운 미션인 거죠. 주택 전문가들은 이 집이 몇 년 갈지 관심이 없어요.

한국의 주택들은 20년 뒤에 재건축, 재개발을 염두에 두고 지어지더라고요. 건축물을 오래 사용할 고민을 하지 않는 거죠.

지금도 관심이 없어요. 이 집의 경우 서울시에서 가장 문제로 삼은 것이 '공사비가 너무 과다하다'는 것이었어요. 임대주택, 부담 가능한 주택affordable housing은 저가로 지어야 하는데 저희가 좋은 품질을 지향하니까 너무 힘들어하셨죠. 경제학적으로는 맞는 논리죠. 한정된 자원이 있고 더 많은 수혜자에게 혜택을 주기 위해서 저렴하게 지으라고 하는 거예요. 그런데 20년 동안 그렇게 해왔고 여러 문제가 있었잖아요? 조금 다른 방법을 고민해보자는 거죠.

지속가능한 주택을 꿈꾸시는 것 같아요. 사람이 오래 살 수 있고, 집 자체도 오래갈 수 있는.

땅을 달라(웃음). 청년을 위한 주택 지어 달라 하니까 정부에서는 '땅이 없어' 이러고, '땅 찾았어요' 하니까 '돈이 없어'라고 하는 거죠. 우리나라가 정말 돈이 없겠어요? 제가 지나가다가 산림청에서 '산을 삽니다'라고 적은 현수막을 봤어요. 미세먼지 등 여러 가지 이유로 산림청에서는 수십조 예산을 편성해서 산을 계속 매입하고 있거든요. 지나가시는 분들이 다들 잘한다고

> 칭찬해 주시는데 서울시가 임대주택을 위해 몇 조 쓰겠다고 하면 찬성하는 사람이 아무도 없는 거죠. 저희가 땅과 돈은 마련해도? 아시잖아요. 주민들이 지역구 의원 데려와서 머리 밀고 집값 떨어진다고 항의하고 반대하죠.

청년 주택 건립 계획이 발표되면 헤이트 스피치hate speech가 난무하죠. 청년들로 인해 동네가 문란해진다는 주장을 하기도 하고요.

> 어떻게 소문이 났는지 모르겠지만 이 집도 처음에 동네 주민들이 어린이 도서관이라고 생각해서 건립에 반대가 없었어요. 그런데 임대주택이라고 하는 순간 반대가 시작됐죠.
>
> 이야기를 들어보면 그 끝은 영화 〈기생충〉이랑 똑같아요. 신원 모르는 사람이 동네에 들어오는 것에 대한 두려움이죠. '땅이 되게 작은데 저렇게 조그마한 곳에 11명이 산다고?'라며 불한당들이 사는 곳이라고 생각하세요. 여기 입주 1순위 조건이 근처에 직장이 있는지 여부여서 입주할 청년들이 근처에서 일하는 분들이라 괜찮다고 말씀드리지만 부정적인 시선을 거두지 않으시죠. 산을 사들이는 것을 칭찬하는 것처럼 서울시가 임대주택 공급을 위해 많은 예산을 쓰고 있는 것을 칭찬했으면 좋겠어요.

배제하고 배제당하는 것의 연속이네요. 이웃으로 한 동네에 살 수 있는 자격을 부여하고, 자격 미달된 사람들에게 낙인을 찍어요. 도대체 그 기준이 무엇인지는 모르겠지만요. 우선은 정책 만드시는 분들의 집에 대한 인식이 먼저 바뀌어야 한다고 생각해요.

맞아요. 주거가 개인의 문제가 아니라 사회문제라는 공감대 형성이 필요해요. 단칸방에 30만 원 내고 살 수밖에 없는 것은 그 사람의 능력이 이것밖에 되지 않기 때문이라는 생각부터 없애야 해요. 그리고 주거 정책의 성과를 단순히 호수로 판단하는 것이 아니라 주택을 공공재로 보고 그 가치를 공유하는 것이 중요하다고 생각해요. 주택 호수를 늘리기 위해 편한 방법이 토건 세력과 임대사업자를 지원해주는 거예요.

저는 이들보다 거주자에게 지원을 제공해 주거비 문제를 해결해야 한다고 생각해요. 주거 바우처처럼 직접 임대료를 보조할 수도 있고, 대출 정책을 통해 부담을 덜어줄 수도 있잖아요. 주거 바우처 받아서 내가 원하는 집에 월세 10만~20만 원 내고 살 수 있다면 해보고 싶은 거 다 해볼 수 있을 것 같지 않아요? 공무원 시험 준비 안 해도 될 것 같지 않아요?

갑자기 기본소득이 떠올랐어요.

제가 맨날 기본소득 가능하게 해달라고 말하고 다녀요(웃음).

사업자가 거주자를 위한 정책을 만들어달라 요구하고 구체적인 해결안까지 제시하는 것이 신선해요. 기본소득까지 주장하시는 것을 보면 주거정책을 넘어 사회 전반의 변화를 꿈꾸시는 것 같아요.

제도와 정책에 관심을 두게 된 계기가 있어요. 장애인 단체의 어떤 분이 집 설계할 때 장애인들이 사용 가능한 화장실을 만들고 턱을 없애 달라는 사회운동을 10년 동안 하셨대요. 계속 변화가 없었는데 건축 법규를 바꾸니까 전국의 많은 집이 장애인에게 편리하게 바뀌었다고 하시더라고요. 이것이 제도와 정책의 힘이라고 생각해요. 그리고 저희들이 요구하는 정책이 다수보다는 소수를 위한 것인 만큼 응원과 지지가 정말 중요한 것 같아요.

서울이라는 이 커다란 도시에 어떤 기준들이 세워지면 좋을까요? 어떤 새로운 상상과 고민을 이어나갈지 궁금해요.

가장 중요한 것은 자동차가 아닌 사람이 중심이 되는 도시가 되어야 한다는 점이에요. 그 다음은 용도가 복합된 도시를 원해요. 과거 세운상가, 동대문을 보면 미싱하던 곳이 쉬거나 자는 곳이 되기도 했어요. 주거와 산업이 복합되어 있던 거죠. 이곳에서 너무 많은 인권이 유린당하기도 하고 주거권이 침해받으면서 초기 도시계획에서 주거지와 상업지를 명확히 구분했어요. 일터에서는 일만 하고 잠은 다른 곳에서 자자는 거죠.
그런데 이제는 다시 이전으로 돌아가야 하지 않나 싶어요. 주거지와 상업지역이 혼용된, 복합된 공간이 필요하다고 생각해요. 집이 주거라는 하나의 기능보다는 글 쓰는 작업실이 될 수도 있고, 어린이에게도 도서관과 집이 결합된, 거실 도서관이 재미있을 것 같아요. 일 하는 공간과 생활하는 공간이 많이 유연화 되면 좋겠어요.

지금은 구독 시대인 만큼 1인 젊은 세대들은 필요에 의해서 주거를 선택하고 있어요. 점점 주거가 가벼워지고 머무는 주기도 짧아져요. 삼시옷 집은 적어도 1년 이상 살 수 있는 사람들만 입주자로 받는 것을 원칙으로 하고 있는데 거주 기간이 짧아지는 요즘 한계가 많아요. 방학에 지방이나 해외에 사시는 분들도 많아지고요. 거주가 꼭 한 곳에 매여 있지 않고, 일도 어디에서나 할 수 있기 때문에 집도 가벼워지는 방향으로 변화

트렌드에 맞춰가야 한다고 생각하고 있어요. 아주 재미있는 주제인 것 같아요.

마흔 살까지는 하고 싶은 일 해봐요

- 한국의 대학 건축학 관련학부/학과 재학생 남녀 성비는 남학생 67%, 여학생 33%이다.
- 한국의 대학 건축학 관련학부/학과 졸업생의 건강보험 및 국세DB연계 취업률은 남성 86.4%, 여성 74.7%이다.
- 건축지 <공간>이 네이버와 함께 진행한 ‘한국 건축을 대표하는 건축가 12인’ 중 여성은 0명이다.

<빌딩롤모델즈(여성이 말하는 건축)> 중에서

김하나님이 참여하신 책 〈빌딩롤모델즈〉(여집합 저)의 도입부가 인상 깊었어요. 건축의 영역에서 여성들의 현재 위치를 수치로 드러내어 직관적으로 와닿았거든요. 여성이 소수인 영역에서 일하면서 어려움은

없으셨는지 궁금해요.

지금은 남자 직원이 한 분 계시는데요. 원래는 다 여성이었어요. 다들 정말이냐고 물으셨죠. 아무 생각 없이 "남자애들 일 못 하잖아요"라고 답했는데 한 여성 대표님이 되게 놀라시면서 "이런 말이 너무 재밌다"고 하시더라고요. 당신만 하더라도 차별이 있는 조직을 살아내셨다며. 저에게는 너무 당연한 얘기였거든요(웃음).

최근에는 육아 문제가 크게 다가와요. 저는 아이나 결혼하는 것에 관심이 없는데 같이 창업했던 파트너는 결혼하고 아이 낳으면서 일을 그만두고 박사과정에 들어갔어요. 경력단절이 된 거죠. 이 주택을 같이 설계한 여성 건축가의 경우에도 아이 키우는 것 때문에 굉장히 큰 고민을 안고 있더라고요. 그동안 여성들이 훨씬 잘하고 있고 여성 리더들도 점점 많아지고 있으니 문제가 해결됐다고 생각했었거든요? 그런데 아이를 키우는 부분에서는 아직은 좀 더 고민이 필요한 부분인 것 같더라고요.

삼시옷의 집들은 대부분 여성전용 주택이에요. 문제의식을 가지고 의도적으로 계획하신 건가요?

의도한 것은 아니에요. 혼성으로 하려면 화장실, 샤워실 같은 구조가 2개씩 있어야 하는데 여의치 않아서 여성전용으로 운영했어요. 그러면 남성전용으로 해도 됐을 텐데 왜 그러셨냐는 질문을 하실 수 있는데요, 여성분들이 공유주택에 대한 만족감이 더 높다고 느꼈어요. '신림동 강간미수 사건' 때문에도 그렇고 여성분들 중에 심리적 안전을 중요하게 여기는 분들이 많으세요. 설문조사를 해보면 대부분 집에 늦게 오거나 밤늦게 퇴근하거나 했을 때 불이 켜져 있는 것. 온기가 들어와 있는 것에 큰 만족을 느끼시더라고요. 어떤 분은 옆 방의 알람 소리가 불편하기도 하지만 그것으로 큰 위안을 얻는다고 말씀하셔서 너무 슬프기도 했어요.

결과적으로 지금은 여성전용만 운영하고 있지만 '여성'만을 위한 주택은 아니고, 청년주거 문제를 고민하고 있지만 '청년'만을 위한 집은 아니에요. 서로의 다양성을 존중하는 것을 가장 큰 가치로 지지하고 있어요. 요즘 세대, 지역, 젠더갈등으로 사회가 점점 더 양극화되고 있다고 느껴요. 민감하게 반응해야 하는 부분도 있지만 구분을 넘어서는 긍정과 이해로 열린 태도를 취하고 싶어요.

의지가 꺾이거나 힘든 순간에 어떻게 가치를 유지해 나가시는지 궁금해요. 원동력이라고 할까요?

> 가장 큰 원동력은 '운'이죠. 제가 잘했다기보다는 많은 지지와 응원으로 여기까지 온 것 같아요. 토지임대부 사업의 경우에도 저희가 공부를 열심히 했다기보다는 우연히 만났어요. 주거권 운동하시는 분들이 오래 연구를 해오셨던 영역인데 서울시가 움직인 거죠.
>
> 저는 더는 건축일 하지 않으려고 도망 나오는 중이었는데 주위에서 너가 잘하는 게 이것이니 한번 해보라고 해서 시작한 일이에요. 그런데 일을 하다 보니까 여성 대표로 저를 주목해 주고, 저희가 하는 얘기들 공감해 주고, 삼시옷이 하는 일 좋은 것 같다고 생각해 주는 것이 큰 행복인 것 같아요. 원래는 물 들어올 때 노 저어야 한다고 생각했는데 이제는 물 들어오는 것이 매우 감사해요.

김하나 대표님 개인의 계획과 삼시옷의 계획을 구분해서 말씀해주실 수 있나요?

분리가 안 되는 상황인데(웃음). 회사를 운영하면서 저는 일자리 창출이 제일 큰 미덕이라고 생각해요. 노동에 대한 적절한 보상을 하고, 그 급여에서 구성원들이 모두 만족하는 일을 만들어내는 일이 매우 중요해요.

지금은 여섯 명이지만 더 좋은 일자리를 만드는 것이 가장 큰 고민입니다. 그리고 용역이 아니라 스스로 일을 만들어내는 것에 대한 고민이 많아요. 시켜서 하는 일이 아니고 우리가 일을 만들어내는 것에 대한 고민이요. 여태껏 잘 해왔지만 더 같이 잘 하는 방법?
그러게요. 돈을 더 잘 벌어야 하는데 어떻게 잘 벌지?(웃음)

모두의 고민인 것 같아요. 돈 잘 벌기. 기존의 문법과 다른 길을 가면서 돈을 잘 벌고 싶은 수많은 여성들에게 해주고 싶은 이야기가 있다면요?

무책임한 이야기일 수 있지만 걱정 없이 하고 싶은 일을 마흔 살까지는 해보는 것이 좋을 것 같아요. 그때는 기본소득이 보장될 것입니다(웃음). 저 역시 산업공학과 대학원에 진학했던 것도 그렇고 정해져 있는 길을 걸어온 건 아니었어요.
이제 자리를 잡는다는 개념도 점점 없어지고 있고요. 어떤

“

이제 자리를 잡는다는 개념도
점점 없어지고 있어요.
어떤 사람이 ‘되는’것을 목표로 하기보다
그냥 본인이 원하는, 하고싶은 일을
책임감 있게 해내는 것이
중요하다고 생각해요.

”

사람이 '되는'것을 목표로 하기보다 그냥 본인이 원하는, 하고싶은 일을 책임감 있게 해내는 것이 중요하다고 생각해요. 그래서 건강관리를 잘하셔야 합니다(웃음). 저는 운동을 많이 하고 있어요. 물도 많이 드시고요. 체력관리 잘하시면 됩니다.

홀로서기를 시작한 이후, 내게 집은 '잠만 자는 방' 이었다. 원룸, 고시원, 셰어하우스 중 무조건 저렴하면서 학교와 가까운 집을 골랐다. 곰팡이와 벌레 없는 집을 찾는 스킬을 익혔고 에어컨을 고쳐주지 않겠다는 집주인과 협상하는 능력이 늘었다. 취향이 반영된 집을 고르거나 주거 공간의 경험을 고려하는 일은 사치로 느껴졌다. 그저 주어진 선택지에 몸을 끼어맞추는 일에 익숙해진 것이다.

김하나의 상상으로 만들어진 집은 밋밋한 회색의 고시원이나 하얀색 원룸이 아니었다. '소담소담', '어쩌다집', '청운광산' 같은 고유의 이름을 가진 집을 만들고 생기를 불어 넣었다. 각자의 이름을 가진 집과 도시의 경계를 지우는 일도 게을리하지 않았다. 그에게 집은 도시이고 도시는 집이었다.

김하나의 집에 사는 사람들은 신발 신는 주방에서 친구와 따뜻한 한 끼를 지어먹는다. 아침에는 동네를 걸어 출근하며 소소한 일상을 느낀다. 그는 사람들에게 '집의 경험'이란 멋진 선물을 선사한 것이다.

김하나는 이것을 돌을 던지는 일이라고 말했다. 변하지 않을 거라 믿었던 굳세고 거대하고 높은 '표준'이라는 장벽에 돌을 던지며 조그마한 균열을 내고 있었다. 그 과정에서 수많은 공유주택이 생겨났고, 다양한 주거 정책을 이야기하는 공론장이 마련되었다.

운동을 좋아하는 김하나는 오늘도 달리고 역기를 들어 올린다. 달리기는 그에게 꾸준함을 만들어주었고, 역기는 세상을 들어 올리는 힘을 주었다. 그의 안에 꿈틀거리는 힘은 지금, 도시로까지 내뿜어져 나오고 있다. 다부진 그의 표정과 몸을 조금이나마 닮고 싶다. 건강한 신체부터 만들기로 다짐하고 나도 열심히 달려보기로 했다. 그게 변화의 시작이라 믿으며.

"아우 진짜 유난 떤다"

공간에 대한 생각을 말할 때 내가 가장 많이 들었던 말이다. 중고등학교 내내, 내 방은 있었지만 방에 들어간 적은 잘 없다. 거실에 있는 간접 조명과 길고 큰 롱 아일랜드 식탁만 있으면 그 공간이 내 것이었다. 거기서 공부하는 게 너무 좋았다. 넓고 큰 식탁을 막 어질러 놓으며 하루 종일 공부했다.

디자인 학과에 재학 중인 22살이 된 지금의 나는 여전히 유난을 떨고 있다. 학교에서 수업 마치고 30분도 걸리지 않는 집에서 일하면 될 텐데 버스 타고 한 시간 걸리는 한남동 앤트러사이트 카페로 간다. 한 시간이라는 이동 시간에 대해 누군가는 "왜? 굳이?"라고 생각할 수 있지만 나는 내가 좋아하는 익숙한 공간에 가기 위한 시간이 전혀 아깝지 않다.

온전한 나만의 공간. 그 공간은 자신이 거주하는 공간이 될 수도, 무언가를 작업하는 공간이 될 수도, 집중할 수 있는 공간이 될 수도 있다. 내 주위에 공간은 많았다. 집, 학교 그리고 커피 한 잔 사 먹으며 그 공간을 잠시 내 것으로 만들 수 있는 카페까지. 하지만 이 모든 것은 나만의 공간은 아니었다. 늘 소음이 있었고 나만의 공간이 아니기에 신경 쓰이고 눈치가 보였다.

공간이 궁금했다. 공간에 대한 전문 지식은 사실 별로 없었다. 다만, 내 예민한 취향이 있었고 공간에 대한 미적 감각과 실용성에 대해 디자인과 학생으로서 배우고 있는 중이었다. 나의 오랜 고민이었던 '나만의 공간'은 무슨 의미인지 그 공간에서 사람을 엮어 경험을 만들어 내는 이들을 만나 보고 싶었다. 나만의 일하는 공간을 꿈꿔온 나는 여러 사람이 함께 일하는 코워킹 스페이스coworking space '카우앤독'을 설계한 조재원 건축가가 궁금했다. 또 '비어있는 공간을 공유할 수는 없을까?'라는 질문으로 공간 공유 플랫폼을 만든 스페이스클라우드 정수현 대표님이 멋져 보였다.

1 공일스튜디오 건축가 **조재원**

결국_인간이_'함께'_살아가기_위함

공간은_인간의_존엄

액체_인간_성장

8월의 한남동, 건축가들의 공유 사무실 '커튼홀'을 향해 걸어가는 오르막길은 후덥지근 했다. 헐떡이는 숨을 붙잡으며 조재원 건축가를 마주할 수 있었다. 조재원은 건축사무소 공일스튜디오(0_1 Studio)의 대표다. 공일스튜디오는 0과 1사이, 공간의 잠재성을 탐구하고 이를 현실에서 구현하는 것을 목표로 한다. 대학로 구 샘터 사옥 리노베이션을 맡기도 한 조재원은 "개인과 공동체의 삶에 적정하고 지속가능한 가치를 더하는 사회적 공간"에 관심이 많다.

2002년부터 공일스튜디오를 운영하고 있는 그는 2010년 제주 돌집 플로팅엘로 제주건축문화대상 본상, 2011년 대구 어울림극장으로 공공디자인 대상, 그리고 2016년 코워킹 스페이스 카우앤독으로 서울시건축상을 수상했다. 사무실 입구의 녹색 커튼이 닫히며 이야기가 시작되었다.

조재원 대표님은 인터뷰 준비 기간 동안 제게 셀럽이셨어요(웃음). 얼른 만나 뵙고 싶다는 생각이 강하게 들었거든요.

> 저도 질문지 받고 굉장히 놀랐어요. 기존 인터뷰에서 받아보지 못한 질문도 많았고 저에 대해서 꼼꼼하게 조사해 주신 것 같아서요.

건축가님 대학생 시절 '공간'이란 어떤 의미였나요?

> 대학 시절 삶의 중심 공간은 '공동 작업실'이었어요. 학교에는 설계 실습실이 있었고, 학교 밖에서는 동기들과 공간을 빌려서 작업실을 꾸려 밤낮없이 많은 시간을 보냈어요. 나중에 생각해 보니 당시 작업실은 불법으로 지어졌던 공간이었던 듯해요. 가파른 계단으로 이어진 제일 높은 층에 화장실을 공유하는 두 유닛이 있었는데 하나를 저와 여자 동기 두 명이 같이 썼고 다른 유닛을 남자 동기가 사용했어요.

그 공간에서의 기억이 많으실 것 같아요.

맞아요. 대학 시절 인상 깊은 장면들은 모두 작업실에서의 기억이에요. 선후배, 동기들이 가까운 거리에 흩어져 작업실을 꾸리고 네트워크를 이루었기 때문에 열심히 생산하는 공간이기보다 서로 빈번히 오가면서 어울렸다는 말이 맞을 것 같아요(웃음). 그 네트워크 속에서 밥도 해 먹고 같이 어울리며 창작과 놀이의 공동체를 이뤘던 거죠.

어울린다는 말, 저도 공감해요. 친구들과 같이 작업하면 사실 무얼 한다기보다 같이 이야기하는 시간이 더 많아요. 그 과정 속에서 어떤 아이디어가 떠오르기도 하더라고요.

창작자가 같이 공간을 쓰는 것은 외롭기 때문이라고 생각해요. 창작은 들인 시간에 비례해서 기대하는 결과가 나오리라는 보장 없이 막막함과 싸워야 하는 순간들이 많잖아요. 창작의 두려움과 긴장을 나누고 서로 배우는 공간이 작업실이었지요.

대학생 학창 시절의 공간에서 '공유'라는 단어가 엿보여요.

졸업 후 3년 정도 실무를 하다가 암스테르담으로 유학을 갔을 때도 학교는 강의실 이외에도 공동작업 공간이자, 학생들이 함께 공유하는 거실이기도 했어요. 선후배들이 같이 작업하면서 정보와 지혜를 나누고 다른 작업실들과 빈번히 교류하면서 발견되고 확산되는 문화가 있었다는 점에서, 공동작업실에는 공간이라는 제한된 자원을 효율적으로 나누어 쓰는 데서 나아가 '공유'의 선순환 작용이 있었다고 생각해요.

같은 공간에서 공감한 기억. 그 경험이 어떤 영향을 미쳤는지 궁금해요.

한 공간을 낯선 사람과 나누어 쓴다는 것에 대해 기대보다 갈등의 여지를 더 크게 보고 두려움을 갖는 사람들이 많아요. 가족이 아닌 사람들과 공간을 공유하고, 긍정적인 기억으로 남은 경험이 많지 않아서인 거죠. 잘 맞지 않는 룸메이트와의 기숙사 생활, 남성들의 경우 군대 생활이 공간을 공유해 본 기억의 대다수라면 공간 공유에 대한 두려움이 큰 것도 이해가 돼요. 저는 공동작업실의 경험이 공간을 공유함으로써 생겼던 우연한 사건들, 다양한 상호작용, 그로 인해 변화하는 나 자신, 심심할 사이 없는 역동성 등 긍정적인 기억으로 남았어요. 동네와 이웃이 만드는 거주 환경에 관심이 많았는데 현대 사회에서 잦은 이동으로 갖기 어려운 동네와 이웃을 공간 공유가 만들 수 있겠다는 생각을 갖게 되었죠.

대표님이 설계한 성수동 소셜벤처 창업 생태계를 위한 공유 오피스 '카우앤독(CoW and DoG)[1]' 을 보면 서로 다른 이들이 한 공간을 함께 사용하고 있지만 독립적으로 공간을 사용하는 모습이 보이기도 해요.

공간을 공유한다고 할 때 보통 동시에 복수의 사용자가 한 공간에 머무는 것으로 오해하기 쉬운데요. 실제 공유의 패턴은 시간대 별로 고루 분포해 엇갈려 공유하는 것을 말하는 것에 더 가까워요. 1평씩 10개의 개인 방으로 이루어진 공간을 상상해 봐요. 개인의 독립 공간은 보장되지만 1평에 침실+거실+스터디+화장실이 합쳐진 협소한 공간으로 제한되고, 안 쓰는 동안은 비워져 있는 거죠.
반면 공유는 전체 10평의 공간 중에 개인 공간(침실)을 0.5평씩 반으로 축소해 5평만 쓰고, 남은 5평을 3평의 거실, 1평의

---

1 카우앤독은 Co Work & Do Good의 줄임말로 함께 일하며 좋은 일을 만드는 협업 플랫폼 공간으로 계획된 건물이다. 2016년 제34회 서울시 건축상 신축부문 우수상을 수상했다.

스터디룸, 1평의 목욕탕으로 다른 9명과 상호조율해 사용하게 돼요. 나만 쓴다는 배타적인 소유개념을 벗어나면 각자 5.5평의 '내 거주 공간'으로 인지되는 집을 갖게 되는 거예요.
공유 공간에는 다수가 함께 쓰는 공간만 있는 것이 아니라, 혼자 혹은 함께 할 수 있는 다양한 선택지를 주는 것이 필요해요.
5평으로 조직한 공유 거실이 거주자의 상호작용으로 새로운 잠재력을 갖게 되는 것이 흥미롭지요.

어떤 잠재력인지 궁금해요.

다수가 공유할수록 더 다양한 공간을 조직할 수 있어요.
카우앤독도 독립성과 상호소통의 정도가 다른 다양한 방들이 있고, 개개인이 각자의 필요에 따라 협업 혹은 집중해서 일하는 다양한 공간환경을 조합해 만들어 낼 수 있기를 바랐어요.
그리고 무엇보다 공유 공간은 상대적으로 편리하다 불편하다의 개념을 넘어서 완전히 다른 종류의 공간경험, 새로운 종류의 상호작용이 쌓여가고, 그 결과로 거주자들이 고유한 가치와 문화를 함께 만들게 된다는 점이 사회적인 공간으로서 중요한 잠재력이에요.

카우앤독에서 여러 명이 나눠 앉아도 서로 어색하지 않도록 시선이 엇갈리게 설계된 1층 테이블이 눈에 띄었어요.

카우앤독에서는 어떤 한 영역이 이웃한 영역과 완전히 분리된 곳은 없어요. 물리적으로는 열어두고 사용자들이 만들어가는 규칙과 규범으로 조절할 수 있는 여지를 남겨두려 했어요. 그래서 테이블과 테이블 사이, 공간과 공간 사이 디테일에 대해 많이 고민했어요. 1층의 테이블은 각자 자기 일을 가져와 일하려는 코워커들에게는 노트북 스크린 너머 고개를 들어도 눈이 마주치지 않는 편안함을 주고, 가까이 모여 앉아 협업을 하려는 코워커들에게도 편한 환경을 모두 만족시키려다 도출된 디자인이에요.

디테일한 시선으로 공유 공간을 설계, 디자인하면서 특별히 더 신경 쓰거나 고려한 내용이 있을까요?

일단 '개방한다'를 기준으로 계획하는 것이 주안점이에요. 건축주, 운영을 맡은 주체들은 현행의 공간 사용 습관과 다른 공간에 대해 사용자가 불편해할 수 있는 부분을 우려해서 큰 방향에서는 동의하면서도 막상 세부적인 계획에서는 '막자'라고 할 때가 많아요.

처음에는 낯설지라도 열린 공간에서 서로 조율하면서 새로운 문화가 만들어질 조건을 만드는 것이 공유 공간이 작동하는 데 있어서 중요하다고 봐요. 그런 공간에서만 만들어질 수 있는 분위기, 문화, 협업의 관계들이 있어요. 물리적인 공간과 사용자의 자율 거버넌스가 함께 노력해 그것을 만들어내지 못하면 자칫 공유 공간은 개념만 남는 공간이 될 수도 있어요.

카우앤독에서 개방을 기준에 놓고 어떤 부분을 조정하고 생각하셨는지 궁금해요.

크게는 서로 일하는 것을 볼 수 있는 오픈 공간과 집중이 필요할 때 사용할 수 있는 구획된 방으로 공간이 나뉘어 있어요. 다른 사람과 우연히 마주치고 소통할 수 있는 오픈 공간과 혼자만의 혹은 협업그룹만의 집중이 필요할 때 선택할 수 있는 방으로 구획된 공간, 일하고 소통하는 모드가 다른 두 공간이 코어공간(계단,엘리베이터, 화장실들이 모인 공간) 중심으로 나뉘어 있어서 서로 상호 전환이 쉽도록 계획했어요.

“

처음에는 낯설지라도
열린 공간에서 서로 조율하면서
새로운 문화가 만들어질 조건을 만드는 것이
공유 공간이 작동하는 데 있어서
중요하다고 봐요.

”

공유 공간의 개방이라는 기준과 맞지 않거나 혹은 어려움을 겪는 이용자들이 존재할 것 같아요.

> 개방이 유일한 선택지가 되어서는 자칫 강제가 되기 쉬워요. 온라인에서는 로그오프하거나 부재한다고 표시할 수 있고 공감만 표시할 수도 직접 발언을 할 수도 있잖아요. 물리적인 환경에서도 '개방'과 '구획', '공유'와 '독점' 사이에 다양한 모드의 선택지가 주어져야 한다고 생각해요. 자기 방을 벗어나 카페 같은 곳에 나와 이어폰을 꽂고 일하는 것은 공유 공간이 주는 자극과 동시에 나만의 공간도 추구하는 선택이지요. 공유 공간도 개방과 소통의 기조를 유지하되 흑백 아닌 다양한 스펙트럼의 공간 사용의 팔레트를 주고 사용자의 선택을 넓혀줘야 한다고 생각해요. 그리고 폐쇄적이고 독점적인 공간이 가질 수 없는 고유한 경험을 어떻게 극대화해서 '나만의 공간'을 누리지 못하는 결핍이 사소함이 될 수 있을지 고민해야겠죠.

공유 공간에도 규범이 필요할 것 같아요.

> 맞아요. 공간이 개방적으로 조성되는 것은 시작에 불과해요. 이웃과 공간을 비롯한 공유자원에 대해 반상회를 통해 논의하던 것이 시민 자치의 기초모델일 수 있는데 옛날 이야기가

되었어요. 아파트가 주된 거주지가 되면서 자치는 관리 사무소를
통한 갈등과 민원해소로 축소되었죠.

공유 공간은 공유 구성원들의 차이들이 갈등을 일으키기도 하지만
동시에 다양한 요구들 사이에서 공동의 가치를 찾고, 규범을
만들고 자치의 시스템을 만들어가는, 시민사회가 확립되고
민주주의가 작동하는 일상의 훈련장이 될 수 있다는 기대를
해요.

우리 사회에 공유 공간이 많이 생겨날수록 그 안에서의 다양한 시각이 필요할 것 같아요.

공유라는 개념이 보편타당한 가치, 당위성을 가진 전형적인
공간의 유형인 것처럼 말하는 것은 굉장히 위험한 것 같아요.
무조건적이고 맹목적인 공유가 가능하지도 긍정적이지도
않다고 생각하고요. 질문과 참여의 여지를 두고 만들어가야 할
개념을 표면적으로 소비하는 데 그치는 경우가 많은데 공유도
그런 위험이 있어요. 누가, 왜 , 공유 공간을 필요로 하는가가
중요해요. 그 목적에 부합하게 지향하는 가치가 정해지고 거기에
따라 조직과 성격, 운영규범을 그려나가게 될 텐데요. 처음에
계획을 수립하는 발주처의 주체나 건축가가 마스터플랜으로

일방적으로 정할 수 없고, 조성과 운영이 이어지는 과정으로 그 정체성을 정의하는 것에 살아갈 사람들의 참여를 계속 열어 두어야 해요.

'나의 도시'를 만들어가는 것

이곳 '커튼 홀'과 과거 거주하셨던 셰어하우스 '통의동집' 등 실제로 대표님 삶의 곳곳에 공유가 함께하고 있는 것 같아요.

커튼홀은 세 개의 설계사무소가 공유하는 10년 된 공간이에요. 회의실과 캔틴(카페테리아 공간)을 같이 사용하고 세 사무실을 나누는 벽이 없어요. 벽이 없어도, 명문화된 규정이 없어도 이 공간만의 문화와 관습이 세 사무소가 따로 또 같이 영위하는 변화하는 경계들을 만들어요. 통의동집에서는 1년 반을 살았어요. 하우스메이트들이 자주 바뀌는 편이었지만 여전히 같이 사는 장점을 누렸다고 생각해요. 사람들마다 이상적으로 생각하는 '같이'에 굉장히 넓고 미묘한 스펙트럼이 있다는 것을 배우는 소중한 시간이었어요. 지하 1층의 주방과 식당에서는 하우스메이트들과 소통하고 대화하는 것에 활짝 열려있었지만, 개인실과 함께 사용하는 샤워실, 화장실이 위치한 층에서의 복도는 불을 꺼놓아서 같이 쓰지만 프라이빗하게 인지될 수 있도록 해둠으로써 심리적으로 편안할 수 있었던 것이 상징적으로 기억에 오래 남았어요.

20대 초반 대학생으로서 고립되고 싶지 않은 불안감은 분명 존재하지만, 독립하고 싶은 욕구와 '나만의 공간'을 향한 꿈이 더 커요.

아직 경제 활동을 하지 않는 학생들은 정말 독립된 공간에 대한 욕구가 클 거라고 생각되요. 도시에서의 삶은 공간에 지불비용이 워낙 높잖아요. 그래서 자신만이 독점적으로 소유하거나 점유할 공간을 마련하는 것은 사실 불가능하다고 생각하거든요. 하지만 요즘에는 시간에 따라 자신만의 공간도 사용할 수 있고 사회적인 만남도 가능한 장소가 많아졌어요. 원하는 때, '스페이스 클라우드'같이 유휴공간을 함께 쓰려는 공간 제공자와 공간이 필요한 사람들을 연결해주는 플랫폼도 생겼죠. 막연하게 생각하지 말고 의지를 갖고 주변을 잘 찾아보면 풍부한 공유 공간의 선택지로부터 나만의 독립 공간을 구축할 수 있을

> 거예요.

누군가 공간을 사용할 때는 저마다 특정한 목적이 있는데, 저에게 공간은 오직 '업무, 일'을 위한 장소일 뿐이에요. 제가 공간에 대해 실용적으로 접근하기 때문일까요?

> 친한 어떤 부부가 있었어요. 등산을 무척 좋아하는 부부인데 북한산 근처에 살다 지금은 네팔로 갔죠. 북한산 근처에 살 때는 거의 매일 북한산을 올랐는데 아침 먹고 올라가 점심을 먹으러 가는 코스, 어디서는 목욕을 하고, 어디서는 낮잠을 자고, 별 보고 비박을 하는 포인트도 따로 있고, 북한산 전체를 자기 집의 별채처럼 다 파악하고 사용하더라고요. 도시도 북한산만큼, 그 이상으로 넓고 다양하니 나를 위한 공간을 품고 있겠지요. 요즘 '서식지'라는 말을 쓰잖아요. 장소마다 매력을 느끼고 모여드는 사람들의 결이 다르다는 의미겠죠? 나의 서식지, 나와 마음이 맞는 사람들이 모일 법한 장소를 찾는다면 얼마나 행복하겠어요.

공간에 대한 다양한 경험과 시각이 수많은 공간 속 나만의 창의적인 공간을 찾아낼 수 있는 능력으로 이어지는 것 같아요. 누군가에게는 그 능력이 '독립'이라는 단어가 될 수도 있을 것 같고요.

핫플레이스에서 벗어난 나만의 애정을 갖는 장소가 많아질수록 독립에 가까운 자유로움을 줄 것 같아요. 미각이 발달하는 건 내가 즐길 수 있는 음식의 폭과 깊이가 늘어나는 걸 의미하는 것처럼, 다양한 시각으로 도시를 탐험하면서 '나의 도시'를 적극적으로 만들어가는 것이 독립일 수도 있겠어요.

최근 인터뷰에서 다음 프로젝트로 '노인 주거 프로젝트'를 생각하신다는 기사(2019년 6월) 를 읽었습니다. 계기가 있는지 궁금해요.

저도 이제 중년이고 부모님이 나이 들어가시면서 약해지고 저에 대한 의존도가 높아지시는 것을 보면서 제 노년에 대한 예습이 돼요. '곧 내 일이 되겠구나'하고 자연스럽게 저 스스로의 일로도 생각하게 되더라고요. 최근에 양로원을 계획하는 프로젝트를 맡아 진행하면서 더 관심이 깊어졌어요. 예전에는 가족이 같이 살면서 돌봄을 제공해 주었지만 이제는 그런 사회적 환경이 아니죠. 그래서 노인의 주거는 사회적인 돌봄, 시스템적인 돌봄과 밀접해지는데 이 점에서 풀기 어려운 숙제들이 많다고 느껴요.

어떤 문제인가요?

사회적인 돌봄, 시스템적인 돌봄에서는 효율 때문에 노인 개인의 특수한 요구나 정체성에 맞추어 돌보기가 거의 불가능한데요. 노인 주거에서 노인 개인의 자유, 인권의 추구가 안전과 동시에 추구될 수 있는가가 깊이 고민해볼 문제라고 생각해요. 노인 주거는 유니버설 디자인[2], 치매 공간을 위한 디자인 매뉴얼 등 물리적인 계획으로만 해결될 수 있는 문제가 아니에요. 평범한 집에도 돌봄이 있으면 행복하게 살 수 있는 거고 내부 인테리어와 외관이 잘 설계된 집이어도 거기에 맞춤인 돌봄이 없으면 힘든 거죠. 현재 상황을 보면 노인 인구가 늘어날 미래를 생각하면 더구나 개인의 자유, 인권 그리고 개성의 추구가 보장되는 노년의 삶을 영위할 수 있는 가능성은 매우 희박하다고 생각해요.

학교에서 사회 문제에 대한 다양한 디자인적 해결책을 배웠어요. 그 중 하나가 공유 공간이고 앞서 말씀해주신 유니버설 디자인과 다양한 디자인 매뉴얼을 접했죠. 노인주거에는 디자인적 해결책 너머의 무언가가 필요해 보이네요.

노인주거 복지시설에는 양로시설, 노인 공동생활가정,

2 누구나 편리하고 안전하게 이용할 수 있는 보편적 설계

노인복지주택이 있고 여기에 의료가 더해진 요양 시설도 넓게 보면 주거라고 볼 수 있어요. 한 양로원을 방문해 거주하고 계신 할머니들을 인터뷰한 적 있어요. 20년 넘게 거주하고 계신 한 할머니 말씀을 듣고 제가 양로원을 '집'이라고 인식하지 못했다는 걸 깨달았어요. 대부분의 양로시설, 요양 시설은 2~6개 복수의 침상이 화장실을 공유하는 유닛이 모여있다는 점에서 병원과 크게 다르지 않은 구조를 갖고 있어요.

돌보는 인력이 부족하니 효율을 위해서 어쩔 수 없다고 하지만 이를 공동 주거공간이라고 생각하면 프라이버시가 존중받지 못하는 주거환경이죠. 노인복지 논의에 있어 우리보다 앞선 독일, 일본 등지에서는 노인 인권에 대한 감수성이 높아지면서 1인실을 조성하는 것으로 기준이 강화되는 추세라고 해요. 관리/운영의 시각이 아닌 한 사람 한 사람 노인의 삶을 질적 차원에서 보는 것으로 전환하는 것이죠.

노인 주거 공간에 대한 조재원 건축가의 시각이 궁금해요.

아툴 가완디가 쓴 〈어떻게 죽을 것인가〉를 읽으면서 노년의 삶은 '어떻게 살 것인가'보다 '어떻게 죽을 것인가' 관점에서 볼 때 제대로 보이는구나 생각하게 되었어요. 노인주거는 어떻게 살아갈까에 대한 관점만큼, 어떻게 내가 원하는 죽음을 맞을까 하는 개성있는 죽음을 위한 조건이 보장되는 것이 중요하다고 생각해요. 다수의 노인을 돌보는 이들의 관점에서는 표준이 있을 수 있지만, 노화와 질병, 죽음에 이르는 다양한 과정을 어떻게 겪어 낼 것인지에 대해서 개개인 노인의 관점에서는 표준이 있을 수 없잖아요. 그것이 노인주거, 거주환경에서 어떻게 존중받을 수 있을까 고민이 돼요.

제가 여지껏 설계해왔던 집은 성장하는 가족의 미래를 위한 집이었어요. 그런 집은 건축주 개인, 건축가 개인이 계획하고 지을 수 있지만 성장의 끝에 이르러 한 개인으로 돌아가 죽음을 맞는 존엄한 공간으로서의 집은 사회적으로 힘을 모아야만 지을 수 있는 것 같아요.

사회에서 여성은 단순한 성별, 그 이상의 의미를 가진다고 생각해요. '여성 건축가 조재원'으로 다양하게 소개되고 계신데요, 조재원 대표님은 이 부분을 어떻게 생각하시나요?

학교에서 학생들을 가르치기도 했고, 실무자이고, 작은 조직을 운영하며 다양한 협업자들과 일하다 보니 저를 부르는 이름이 다양해요. 그래서 그 많은 이름 중 하나라고 받아들이는 부분도 있어요. 사회 생활 초기에 발주처의 한 임원이 저를 '조양'이라고 불렀던 기억에서 시작해서, 대학교에서 저는 강사였지만 교수님으로 불리기도 하고, 박사가 없다고 하는데도 박사라고 부르는 분도 있었지요.

사람들이 나를 판단하는 다양한 기준이 존재해요. 그 기준에 나를 맞춰야 하나 불편하고 힘든 적도 있었지만 지금은 뭐라고 불리든 제가 하는 일의 기준이 달라지지 않아요. 제 정체성은 저를 부르는 이름이 아닌 제가 수행하는 일의 과정과 성과에 따라 생기기 마련이라고 생각하게 되었죠. 상대방이 저를

> ‘여성’으로 인지하고 부르겠다고 한다면 그 자체로 판단하지 않고 그 의도를 보려 해요. 존중의 의미일 수도 있고 부지불식 중에 체급을 나누려는 것일 수도 있는데 인식의 차이를 절망적으로 받아들이기보다 바로잡을 수 있다는 도전으로 받아들여야 한다고 생각해요.

여성의 보호와 육성을 ‘일’의 관점에서 어떻게 바라보고 계신지 궁금해요.

> 나를 여성으로 보느냐 안 보느냐가 같이 협력하고자 하는 일의 중요한 부분이 되면 확실하게 짚어 소통하는 편이에요. 상대의 의도나 기대가 무엇인지, 제가 동의할 만한 것인지. 상대가 나를 여성이어서 ‘보호해 줘야지’라고 말하는 차원이라면 거기에 대해 분명히 선을 그어 확실히 말해야 한다고 생각해요. 보호하고 육성하려는 의도라면 ‘여성’을 수사로 써서 나를 대상화할 게 아니라 나에게 일을 달라고요. 공평한 기회만 주어지면 보호와 육성 없이도 여성은 알아서 잘 성장해요. 일과 직업, 전문가를 인식하는 다수 대중의 인식 지도에 여성이 자연스럽게 자리 잡게 되면 여성을 붙여 구분할 필요가 점점 없어지겠죠.

건축가님 삶에서 젠더 의식이 필요한 순간이 있었나요? 그리고 그

순간이 삶에 어떤 영향을 끼쳤는지 궁금해요.

스스로 여성성에 대한 자각을 덜 하고 감수성이 부족했다고 생각했던 일화가 있어요. 이화여대 건축과에서 강의를 했을 때 일이에요. 여학생만 대상으로 건축 강의를 하는 경험이 저도 처음이었어요. 그때까지 다른 설계 수업 지도 때와는 다른 점이 눈에 띄었어요. 대부분의 학생들이 작은 스케일 부분에서 작업을 시작하는 거예요. 그래서 수업하면서 작은 부분에서 시작하면 스트럭처structure, 구조가 안 나오니 개념과 큰 구조를 먼저 잡고 거기서 부분을 계획해 나가라고 지도했던 거죠.

그런데 어느 날, 책에서 한 여성 작가의 미술 작업을 봤어요. 그 작가는 일상에서 주변에 있는 작은 오브제들을 모아서 계속 연결하는 것으로 작업을 시작한다고 했어요. 의미를 규정하지 않고 계속 붙여 나가다 보면 과정에서 의미를 획득하는 순간이 오고, 그것의 잠재력을 믿으며 작업을 한다고요. 그의 작업을 페미니즘과 연결하여 해석한 글을 보며 충격을 받았어요. 나는 왜 학생들의 작업방식을 '다르다'라고 생각하지 않고 '틀렸다'고 생각했을까. 제 교육과정, 실무수련에 이르는 과정에서 남성들이 다수인 환경 속에서 부지불식 중에 내 의사를 관철시키고 설득하기 위해 비평적으로 보지 않고 수용했고 습득했던 작업방식들을 반추해보게 된 계기가 됐죠.

저도 전공 수업에서 '큰 결과물을 내야 하는데, 작은 오브제에서 시작하면 힘들다'는 크리티크(비평)을 받은 적이 있어요. 큰 데서 시작하지 않으면 반드시 마지막에 한계점이 보일 거라는 말씀과 함께요. 그 이후로 저는 디자인 작업할 때 큰 구조부터 먼저 바라보게 돼요. 작은 오브제로부터 시작하면 한계점이 보인다고 하는데 한계점을 본 적은 없지만 막상 마주할 생각을 하니 두려웠던 것 같아요. 사실 한계점이 없을 수도 있었던 건데(웃음).

예를 들어 공동주택을 설계할 때, 유닛의 평면에 주안점을 두고 그 유닛이 제대로 기능하도록 건물과 단지를 설계하는 방식과 전체 단지의 배치와 주안점을 먼저 결정하고 그에 따라 유닛을 계획하는 방식은 다른 결과를 낳게 될 거예요. 이때의 차이는 지속적으로 탐구해 볼만한 다른 가치를 만들어내는 방식에 대한 것이지, 둘 중 하나가 틀린 것은 아니거든요.

중요한 것은 나의 태도와 방법을 외부의 눈을 빌어 판단해서 틀리다고 쉽게 포기하면 안 된다는 거예요. 내가 편안해하는 방식과 내가 추구하는 가치 사이에서 때로는 새로운 방식을 과감히 시도해야 할 때가 있겠죠. 성장할 수 있는 방향으로

> 멈추지 않고 움직여가는 것이 중요한 것 같아요. **인정받을 수 있는 정답이 있을 거라 상상하면서 자신만의 질문이 가진 가능성을 스스로 평가절하 해서는 안 돼요. 나만의 가치와 성장을 동시에 모색하는 낙관적인 모험정신이 필요해요.**

일하는 자아로서의 여성을 어떻게 바라볼 수 있을까요?

> 저는 여성이라는 정체성을 사회적인 약자로서보다 '나만이 발견할 수 있는 가치, 나와 동료가 함께 성장하는 방법'이라는 관점에서 봐요. 제가 일로 사회에 기여할 수 있는 데에 여성이라는 것을 큰 동력 삼아야 한다고 생각하고요. 그 잠재력을 최대한 발현하려는 노력이 따라야 하죠. 요즘에는 때때로 여성을 대표하는 역할을 해야 하는 자리가 있어요. 무슨 심사 자리에 꼭 여성으로서 한 명 참석해야 한다든지, 맞지 않는 옷을 입은 것처럼 불편하고 영혼이 유체이탈하는 느낌이 드는 경우도 있어요. 하지만 그 정해진 자리를 내가 맡지 않으면 여성의 자리가 없어지거나 할 수 있잖아요. 그러면 안 되니까. 저를 통해 대변되어야 하는 의견을 충실히 전하는 일이 곧 저의 솔직한 목소리를 내는, 의외로 용기가 필요한 일이라고 믿어요.

뻔한 질문일 수 있겠지만 대표님이 정의하시는 성장이 궁금해요.

“

인정받을 수 있는 정답이 있을 거라 상상하면서
자신만의 질문이 가진 가능성을
스스로 평가절하 해서는 안 돼요.
나만의 가치와 성장을 동시에 모색하는
낙관적인 모험정신이 필요해요.

”

자기의 잠재력이 얼마일지 아무도 몰라요. 아무도 모르기 때문에 자기주도적으로 만들어야 해요. 제가 하는 일에는 클라이언트가 있지만 프로젝트를 정의할 때 클라이언트의 요구 사항을 수동적으로 수용하기보다 능동적으로 제안해요. 같이 추구해볼 공동의 목표를 찾고 '자 함께 달려볼까요?'하는 느낌으로요. 제 역할은 그 목표로 가는 여정에서 건축가의 관습적인 일과 역할에서 아메바처럼, 액체인간처럼 유연하게 확장되는 경우가 많아요. 당연히 어렵고 때때로 한계에 부딪히는데요. 그 지점에서 성장하는 거죠.

'공간. 공유. 건축가. 여성. 대표'. 조재원 대표님의 삶 속에 이 모든 단어가 연결되어 있는데요. 어떤 중심점을 가지고 계신가요?

'정말 좋은 것을 만들자'는 것이 처음 창업을 하며 세웠던 단순한 목표였는데 여전합니다. 한 달 후나 일 년 후를 예측할 수 없는 변동의 진폭이 큰 시대를 살고 있고 이 변화 속에서 정말 좋은 것은 무엇인가 계속 질문하고 탐구하는 과정에 있어요.
혼자는 좋은 것을 못 만들어요. 좋은 삶에 대한 질문을 공유하는 사람들과 연결되고 그 연결을 통해 함께 협력할 때만 좋은 것을 만들 수 있다는 것을 깨닫게 돼요.

왜 작은 데서부터 시작하면 안 되는지, 한계점이 보일까 미리 겁을 내는 건 아닌지. 조재원 건축가가 들려준 이야기가 아니었다면 디테일로 시작하는 나의 작업 방식이 잘못되었다고 생각했을지 모른다. 존재하지 않을지도 모르는 한계점을 계속 미리 겁내고 있을지도 모른다.

인터뷰 후, 내 취향이 반영된 곳이라면 어디든지 내 공간이 될 수 있음을 알았다. 그리고 특별해졌다. 인생이 갑자기 길게 보였다. 노인이 되어 혼자가 되었을 때를 떠올리자 불안과 두려움 같은 감정들이 다가왔다. 조재원 건축가와의 인터뷰를 통해 알게 된 프랑스의 유명 건축가 르 코르뷔지에는 도시도 만들고 화려한 건물도 짓는 등 수많은 업적을 남겼지만 노년에 자신을 위해서는 딱 다섯 평의 집을 지어 살았다고 한다. 그에게도 죽음에 대한 불안과 두려움이 존재했었던 것은 아닐까? 그리고 그 감정들이 르코르 뷔지에의 개성 있는 죽음을 만들어 낸 게 아닐까?

불안과 두려움은 누구에게나 존재하고 '죽음' 역시 누구에게나 찾아오는 세월의 종착지다. 오로지 현재 그리고 당장의 할 일에 집중하던 내가 삶의 여정에 대해 긴 시야를 갖게 되면서 꽤 많은 변화가 생겼다. 어떻게 죽을지, 누구와 함께 할지, 어떤 삶의 중심점을 갖고 있는지, 내 개성은 무엇인지, 오래 살고 싶은지, 어떤 공간에서 죽음을 맞이하고 싶은지.

두 시간을 훌쩍 넘긴 인터뷰 말미에 폭우가 쏟아졌다. 변덕스러운 여름날 한편의 인문학 책을 읽은 기분으로 커튼홀을 나섰다. 준비 과정부터 인터뷰 후 모든 시간이 나에게는 여운으로 남았고 멋진 순간으로 기억된다. 내게 남은 이 여운이 이 책을 함께 읽는 이들에게도 전해지기를 바란다.

2 앤스페이스 대표
정수현

관심이_지식을_만들고_성장을 만든다
따뜻하고_환대를_나누는_공간
도시기획자

정수현 대표는 활동에 필요한 공간을 찾는 일이 어려워 고생한 경험을 계기로 2013년 새로운 도시 혁신 서비스를 만드는 소셜벤처, 앤스페이스NSPACE를 창업했다. 공간 공유 플랫폼 '스페이스 클라우드' 서비스를 통해 다양한 유휴 공간을 발굴하여 공간이 필요한 사람들과 연결하고, 자신만의 콘텐츠와 브랜드를 가지고 공간을 기획하는 '로컬브랜더'(소상공인 도시기획자)를 발굴·양성해왔다.

2018년부터는 공유 주택 사업에 도전해 서울사회주택 1호 '앤스테이블'을 운영 중인 그는 '자기답게 살아가는 크리에이터가 머물기 좋은 도시를 만드는 것'을 목표로 한다.

2019년 12월, 앤스테이블 대치점에 막 입주를 마친 정수현 대표를 1층 카페에서 만났다.

정수현 대표님은 공간에서 경험을 만들어 낼 수 있도록 다양한 공간을 유통하는 플랫폼을 운영하고 있는데요. 수현님도 대학생 시절, 저처럼 나만의 공간을 고민하신 적 있는지 궁금해요.

> 포항에 있는 한동대학교를 다니면서 캠퍼스라는 생활 테두리가 있었어요. 사실 학교 안에서만 사는 삶이거든요. 그래서 서울과는 문화와 생활이 다를 수도 있을 것 같아요. 졸업 후 사회 초년생이 되어 지민님과 같은 고민을 했는데 직장 생활하며 취미 생활을 하거나 뭔가 내 사이드 프로젝트를 하면 당연히 공간이 필요하잖아요. 저처럼 크리스천들은 봉사를 다니는 가까운 복지관이나 교회를 빌려 공간을 사용했는데 같은 종교인이 아닌 좀 더 다양한 사람들을 초대할 때 한계가 있다는 걸 알았어요.

네. 맞아요. 저도 제 개인 프로젝트나 작업을 할 때 특히 공간이 절실해지는 것 같아요

> 그래서 지금 대학생분들이 많이 고민하는 것처럼 나의 활동이나

그룹 프로젝트를 활성화할 수 있는 공간이 필요하겠다고 생각했어요. 당시 직장 생활을 하면서 접한 해외 스타트업 청년들이 제3의 공간에서 성장한다는 인터뷰를 보며 입시 교육 위주의 우리나라 청소년들은 왜 늘 PC방, 노래방 이런 선택지밖에 없을까, 저런 코워킹 스페이스나 생산적이고 문화적인 경계가 없는 공간들은 왜 없을까 질문하게 되었어요.

'청년들의 제3의 공간'이 흥미롭네요. 개인의 불편함과 질문에서 코워킹 스페이스로 관심이 이어진 거군요.

청년들의 제3의 공간에 대해 고민하면서 자연스럽게 코워킹 스페이스를 열심히 찾아보았어요. 제가 교회나 복지관 같은 시민 사회 섹터에서 경험했던 불편함을 중심으로 공간을 공유할 수 있는 경험을 만들어보자는 시도가 창업으로 이어졌죠. 좋은 기회들이 이어져서 '스페이스 노아', '무중력지대 대방동', '오픈콘텐츠랩', '인디워커스' 같은 공유 공간들을 기획하고 운영해 볼 수 있었어요.

'앤스페이스'는 대표님의 삶 속에서 분명한 연결점을 갖고 있네요.

공유 공간을 기획하고 운영하기 위해서는 자원을 가진 기관들을 설득할 수 있어야 했어요. 가깝게는 건물주이고 공공기관이나 재단 같은 곳들이 뜻있는 공간으로 자원을 개방했어요. 기회만 닿으면 공간을 갖고 있는 기관이나 팀에게 이야기했어요. 다음 세대에게는 지금 코워킹 스페이스와 같은 커뮤니티 공간이 필요하다고. 그들이 별다른 목적 없이도 올 수 있는 곳, 그냥 편하게, 나답게 와서 내가 책을 보고 싶으면 책을 보고, 사람을 만나고 싶으면 다양한 사람을 만나고, 놀고 싶으면 놀 수 있는 그 모든 것이 가능한 공간이 필요하다는 점을 꾸준히 이야기했어요.
개인 투자로 작은 공간을 열어 운영해 보았고 기관의 정책 사업으로 청년공간을 구축해보기도 했죠.

2013년부터 공유 공간을 만들어 왔는데요. 당시 공유 공간에 대한 인식이나 인프라는 어땠나요?

그 당시는 스타트업 붐이 시작되고 영역별로 소셜벤처가 막 생겨나기 시작할 때였어요. 창업을 지원하는 디캠프, 마루180, 구글캠퍼스, 청년허브와 같은 공간들이 생기면서 비슷한 고민을 하던 기관들이 공간을 만들어 공급하기 시작했고요. 점점 공유 공간에 대한 인프라가 생겨나니 사람들이 그곳에서 교류도 하고 많은 새로운 시도를 했어요.
기존 고정관념으로 '왜 그런 쓸데없는 짓을 하고 있냐', '왜 이렇게 놀고 있냐' 이런 얘기 하는 사람은 아무도 없고, '너의 시도를 환영해' 환대의 문화가 흐르니까 사람들이 그 공간을 마음껏 누렸던 기억이 나요. 초기 공유 공간들이 생겼을 때 각 공간들에서만 느낄 수 있는 바이브나 커뮤니티 경험이 너무 좋았어요.

공간에 대한 개인의 긍정적 경험이 공유 공간에 대한 긍정적 인식을 만든다는 조재원 건축가의 말이 떠올라요.

특히 대방동 무중력지대 공간 운영은 무척 특별한 경험이었어요. 그곳에 입주한 청년단체들, 공부하러 왔던 동네 친구들 그리고 일 경험을 찾던 청년들과 만나면서 나름의 작은 유토피아를 경험했어요. '아, 이거다! 나랑 비슷한 고민을 하는 공동체가 있다는 거, 공유 공간의 힘이란 이런 거다'라는 경험을 집약적으로 선물 받았던 시간이었어요.

공간 운영이 늘 달콤하지만은 않았죠. 단계마다 나름의 고충이 있었지만 그건 비즈니스적인 측면에서 꼭 필요했던 성장통이라고 생각해요. 그런 과정을 통해 제가 공간 공유 사업자로 성장해야겠다는 확신을 얻을 수 있었어요. 값진 시간이었어요.

"도시의 가치를 창출하는 것은 '기획'과 '매력'을 담을 공간 운영자의 콘텐츠이다" 스페이스클라우드가 펴낸 〈콘텐츠가 리드하는 도시〉를 읽으며 공감했던 문장이에요. 새로운 건물을 지어 그 공간의 스타일을 만들어 내는 것과 로컬 공간을 발견하는 건 어떤 차이가 있을까요?

> 솔직히 저는 공간 기획자라기보다 부동산의 속성을 잘 다루는 공간 오퍼레이터에 가까워요. 인테리어 전문가도 아니고, 건축이나 공간 디자인 전공도 안 했어요. 업계에서는 나름 독특한 사람이라고 하시더라고요(웃음). 근데 제가 잘하는 걸 고민해봤더니 공간을 잘 만들고 운영하는 분들과 건물주를 연결해서 시너지를 내는 코디네이터 역할이더라고요. 서로의 니즈를 잘 정리하고 연결하는 힘이 우리 팀의 역량이고요. 건물이 비어있는 시간이 길어질수록 그건 명백한 손실이에요. 건물주들은 최소한 비어있는 것을 채우기 위해서 뭔가 노력을 하게 되죠. 다른 한편에는 자기만의 컬러나 브랜드가 있지만 공간을 얻는 부담을 가진 크리에이터 그룹이 있어요. 이들이 비어있는 공간 안에서 어떤 역할을 맡게 되면 시너지가 날

거라고 생각했어요. 사실 이분들이 비어있는 공간의 용도를 재정의하고 컬러를 만들어가는 콘텐츠의 핵심 주체이죠. 그런 로컬 공간들이 최근 밀레니얼 세대에게 사랑받고 있고요.

'비어있는 공간을 방치하지 말고, 앤스페이스에 맡겨달라'는 문장이 인상적이었어요. 앤스페이스의 자신감이 물씬 느껴져요.

그건 솔직히 패기가 담긴 멘트인데요. 초기엔 건물주 분들이 직접 저희에게 공간을 기획하고 운영해달라는 의뢰가 꽤 있었어요. 그러면 그 공간에 대한 컨설팅을 해드리고 좋은 공간 기획팀을 소개해드려요. 그런데 요즘엔 그냥 소개만 시켜 드리지 않고 임대 비용이나 기간 조금 좋은 조건을 주셔야 저희가 연결해 드린다고 제안 드리는 방향성을 갖게 되었어요. 건물주가 기대 이익을 낮추고 임차인들이 쉽게 들어갈 수 있는 조건을 만들어 주는 거죠. 그러면 빈 공간이 채워질 가능성이 조금 더 높아집니다.

이 구조를 잘 만들면 선순환이 이루어질 수 있다고 생각해요. 제가 생각한 도시 기획이란 이런 거거든요. 좋은 공간 기획은 운영을 어떻게 하겠다는 계획이 전제가 된 공간이에요. 아무리 예쁘고 멋진 공간이 탄생해도 쓰는 사람이 없으면 무용지물이고 관리하기 복잡한 물건으로 남을 뿐이에요. 사용자에게 최적화된 운영을 검토하고 공간을 개발하는 것이 앤스페이스가 지향하는 공간 활성화의 방향성입니다.

로컬 공간을 발굴하는 힘이 생기고 운영 모델을 만들기까지 스페이스클라우드의 초기 모습은 어땠나요.

지금은 스페이스클라우드가 80만 명 사용자, 2만여 팀 공간 운영자들이 함께 교류하는 서비스로 성장했죠. 이렇게 되기까지 5년 이상 걸린 것 같아요. 처음에는 회원이 1천 명쯤 되었고, 100여 개의 공간을 정리해 블로그로 운영했거든요. 공간 예약이 들어오면 팀이 직접 공간 운영자에게 전화해서 예약 가능한지 확인하고 고객에게 전화로 연결해주는 방식으로 서비스했어요.

그렇게 원시적으로 거래를 하다가 자동으로 예약 결제되는 플랫폼으로 성장해 한 달에 수만 건이 거래되는 사이트로 성장했네요(웃음). 사이트가 성장하다 보니 자연스럽게 동네 곳곳의 좋은 공간들이 들어오고 그만큼 사용자가 늘어가는 재미를 경험했어요.

플랫폼 운영뿐 아니라 유휴 공간 개발 사업에도 참여하고 계신 것으로 아는데요. 2018년, 앤스페이스가 꽤 치열했던 서울사회주택리츠REITs, 부동산 투자회사[1] 1호 운영팀에 선정되면서 대치동 앤스테이블을 최대 30년까지 위탁 운영하게 되었잖아요. 이 사업은 기존의 사회주택과 어떻게 다른지 궁금해요.

> 이 프로젝트는 수십 년간 주인을 못 찾았던 유휴부지를 '리츠'라는 방식으로 사회주택을 공급하는 프로젝트 였어요. 서울시와 SH서울주택도시공사가 50억 원을 출자해 공공형 리츠를 설립했고, 앤스페이스는 운영 출자자로 참여해 건물 개발부터 운영까지 장기 관리 운영권을 얻게 되었죠. 리츠로 공사 자금을 초기에 조달하는 사회주택 공급의 한 유형이라고 생각하시면 될 것 같아요. 앤스테이블은 앤스페이스의 사회주택 브랜드이고요. 오픈하자마자 90% 입주율을 보였어요. 시세의 80% 이하 적정비용으로 최대 10년까지 살 수 있는 주거 안정성이 입주자들에게 큰 호감이었던 것 같아요.

1 REITs(Real Estate Investment Trusts)란 다수의 투자자로부터 자금을 모아 부동산에 투자하고 운영하고 발생하는 수익(임대수입, 매각차익, 개발수익)을 투자자들에게 배당하는 부동산간접투자방식.

부동산 임대 기간이 늘어나게 되면 경제적인 부담이 낮아지니 공간에 대한 실험이 자유롭게 이루어질 수 있을 것 같아요.

'앤스테이블 대치'의 경우 1층 공간을 복합 시설로 기획하고 카페, 바, 대관, 전시가 가능한 공간 '인디워커스 하이브'를 만들었어요. 20명 정도의 소규모 세미나와 프로젝트 모임이 많은 스몰팀을 대상으로 기수별 멤버십을 모았고, 실비만 내면 자유롭게 공간을 주인처럼 이용할 수 있어요.

공간을 함께 쓰는 주인들이 생기면 운영 관리 부담이 줄고 공간은 풍성해지는데요, 이것을 앤스페이스 팀에서는 '커먼즈[commons] 방식의 운영'이라고 불러요. 단순히 시설을 공용하는[sharing] 것을 넘어 함께 관리하고 함께 이용을 잘하는 진짜 공유 방식[communing]을 만드는 것이라 생각했어요.

이렇게 운용되는 공간들이 많아지면 함께 소유하는 효과(장기 사용권)도 생길 수 있다고 보았죠. 공유자산을 활용하는 금융 기법을 실험해본다는 면에서 확실히 의미가 있다고 생각해요. 그래서 이 이야기를 청년 정책 그룹에게 제안한 적도 있어요.

“

단순히 시설을 공용하는sharing 것을 넘어

함께 관리하고 함께 이용을 잘하는

진짜 공유 방식communuing을

만드는 것이라 생각했어요.

”

어떤 제안일까요?

> '청년 리츠'를 만들어 보자고요. 비어있는 집과 상가를 '청년 리츠'가 매입하고 리츠의 주식을 청년들이 펀딩하여 소유권을 일부만이라도 갖게 하자. 그리고 우선 입주권을 줘서 실질적 수요 혜택을 얻게 하자는 것이에요. 예를 들면 서울에 있는 청년들이 39세 이하일 때 리츠를 보유하고 있다가 다음 청년에게 팔고 나갈 수 있게 해주는 방식. 자신이 배당도 한번 받아보고 건물주가 되어보게 하는 거죠. 확실히 건물주가 되어 소유를 하면 책임도 크게 따른다는 걸 알게 되거든요. 저는 직접 자산을 관리하고 운용해 보는 경험을 하는 게 정말 중요하다고 생각해요.

저도 자취를 시작하면서 처음으로 부동산을 직접 경험했어요. 임대인, 임차인 그리고 그 안에서의 여러 가지 조건 등 모르는 것이 많더라고요.

> 앤스페이스가 서울사회주택리츠로 지어진 건물의 2% 지분을 갖고 있어요. 소액 주주이긴 해도 자산을 소유하고 있다 보니 건물주들이 책임져야 하는 것들이 뭔지 전후 맥락을 다 경험할 수 있었어요. 건물주를 막연히 부러워하는 게 아니라 역할을 경험해보게 되는 거죠. 그에 맞는 역량을 준비하게 되기도

하고요. 저는 거의 대부분의 청년들이 항상 '임차인' 입장에서의 경험에서만 정책 제안을 하기도 하는데 '자산 관리자' 입장이 되어보는 것도 정말 중요한 경험이라고 생각해요. 보다 다양한 관점에서 부동산이 어떻게 공유되어야 하는지를 배우게 되니까요.

'소유자' 중심에서 '사용자' 중심으로

가구 브랜드 데스커Desker의 '오피스 체인지' 이벤트에 선정되면서 사무실 공간을 기존 오픈된 구조에서 큐비클칸막이로 바꾸고 몰입 환경으로 변경한 것을 보았어요.

네. 저는 오피스는 오피스다워야 한다고 생각해요. '열려 있지만 독립적인' 큐비클 형태의 오피스를 데스커와 같이 기획했고 팀원들 반응도 좋았어요. 작업하는 공간은 개인적으로 독립적인 느낌을 주되, 칸막이를 거두고 장으로 구분하여 협력적인 바이브는 유지하는 방식으로 사무실을 꾸몄죠.
다만 회사 안팎으로 구성원들이 너무 일에만 함몰되지 않게 조금 더 교류하는 장소들이 필요해요. 코워킹스페이스는 일공간의 느낌이 다르기도 하지만, 사업 초기에 필요한 사람들을 좀 더 열린 태도로 만날 수 있는 기회를 제공한다는 점이 큰 장점인 것 같아요. 공간의 기능 문제보다 소셜라이징 관점에서의 문제이죠. 공간의 자유로움은 그냥 현상인 것이고, 공간에서 만날 수 있는 사회적 자본이 공간의 가치를 결정하기도 하는 것 같아요.

앤스페이스만의 일 문화가 있을까요?

공간 사업을 하는 회사의 특성상 다양한 지역에서 다양한 공간을 정말 많이 보러 다녀요. 이게 참 재밌는 일이죠. 새로운 공간 기획을 만나기도 하고, 망한 공간의 이유를 분석해보기도 하고. 어떻게 하면 우리가 머물고 있는 도시가 더 재미있고, 머물만한 가치가 있게 만들 수 있을까, 또 어떻게 하면 그런 것들을 가능하게 하도록 우리의 역량을 더 키워나갈 수 있을지 등을 고민하고 상상하게 되더라고요. 앤스페이스 업무 특성상 IT 서비스 조직은 보다 다수의 트렌드 공간에 관심이 높고요.
공간기획 사업부는 새로운 공간 개발에 관심이 많아요. 그 두 그룹이 만나서 이야기하면 지금 도시에서 벌어지는 일들이 뭔지 생생하게 들을 수 있죠. 그게 저희의 일 문화인 것 같아요.

새로운 일 문화 조성을 위해 단 하루만이라도 원하는 곳에서 일하는 하루를 보내보자는 '원데이 노마드oneday nomad' 캠페인을 진행하신 것도 흥미로웠어요.

프리랜서나 노마드처럼 일하고 싶은 욕구를 연구해보니 내가 제주도나 발리에 당장 갈 수는 없고, 우리 회사 근처에서 일하기 좋은 곳을 찾는 니즈가 많다는 것을 알게 되었죠. 그래서 직장인들에게 "팀장님, 저 여기서 일할게요!" 이런 액션을 기대하고 일 문화 챌린징 캠페인을 만든 거죠. 사무실에 얽매이지 않고 자유롭게 일하시는 분들이 어떻게 재택으로 업무를 체크하고 어떤 툴을 사용하는지 등 이런 요소를 고민해서 시도해 보았어요. 언택트에 대한 관심이 높아지면서 이런 일 문화가 선호된다는 것도 알게 됐어요.

앤스페이스 조직은 생동감 넘치고 젊어 보여요. 재미있어 보이고요.

앤스페이스 팀은 정말 재미있게 일합니다! 단 하루도 빼놓지 않고 보드게임이나 닌텐도 스위치를 해요. 자율 참여제이고 매일 게임에 참여하는 구성원들의 점수를 기록해서 그 달의 '게임왕'한테 선물이 가요. 앤스페이스는 저녁 회식이 없고 점심이 유일하게 모든 구성원들이 소통하는 시간이거든요.

개인적인 시간을 보내도 되고, 팀원 모두가 서로 친해질 수 있는 교류 타임이기도 해요. 그래서 사람들이 적극적으로 게임에 참여하고, 게임할 때는 직급 대표 이런 것 없습니다(웃음). 그냥 모두 플레이어이고 경쟁자예요. 게임을 하면서 일에서 쌓인 스트레스도 풀리는 것 같아요. 그래서 이 문화를 유지하려고 노력하고 있어요. 게임 후에는 다시 열일 모드로!

존경하는 도시 기획자가 있을까요?

제인 제이콥스Jane Jacobs 선생님을 진짜 좋아해요. 한참 도시 개발로 성장하고 있는 미국 사회에서 격차를 촉진하는 '고밀도, 상업화, 도로형 도시'를 지양하고, 골목과 이웃이 공존하는 '걷고 싶은 도시walkable city' 무브먼트를 만들어 낸 도시 기획자이죠. 도시의 작은 매력들, 스몰 비즈니스가 성장할 수 있는 환경이 동네의 관계망을 두텁게 하고 양극화를 최소한다고 주장했죠. 그분이 갖고 있는 문제 의식이 도시 변화를 만들어가는 사람들에게는 큰 인사이트가 되고 있고요. 제인 제이콥스 선생님 같은 삶을 살고 싶다는 낭만을 가지고 있어요.

걸어다니기 좋은 도시라니, 너무 멋있어요. 제인 제이콥스도 부동산

분야 전문가가 아니었다는 점도 흥미롭고요. 정수현 대표님과 출발점도 비슷해 보여요. 어떤 도시 기획자가 되고 싶으신가요?

> 앤스페이스가 공동체 기반의 도시를 만들어가는 데 기여했으면 좋겠어요. 이는 '소유자' 중심에서 '사용자' 중심으로 도시에 대한 관점을 능동적으로 바꾸는 것을 의미해요.
>
> 굳이 공간을 소유하지 않아도 도시에서 소외되지 않고 사용자들의 활동 선택지가 넓어지는 세상. 기존에 잘 사용되지 않던 공간들이 그것을 필요로 하는 공간 운영자들과 크리에이터들에 의해서 잘 사용될 수 있는 공간. 소유에서 배제된 사람들이 공간 운용 및 장기 사용권 구조에 들어올 수 있게 만들어주는 것. 그래서 도시 전체가 다양한 사람들이 내는 콘텐츠로 풍성해지고, 적정 비용으로 머물 수 있는 공간들이 많아지는 것. 궁극적으로 누구에게나 공간 걱정 없는 세상을 만들어가는 도시기획자가 되고 싶어요.

〈북 저널리즘〉 인터뷰에서 "리더는 미션에 대한 강한 '덕후력'을 갖고 있어야 한다"고 말씀하셨는데요. 대표님이 생각하는 이상적인 리더의 모습이 궁금해요. 다가올 세대의 리더가 갖춰야 할 덕목이 있다면 무엇일까요?

> 앤스페이스에서는 특히 두 가지가 중요해요. 첫 번째는 앤스페이스가 추구하는 도시적 가치에 대한 공감과 그것을 지켜내고자 하는 신념이고요. 두 번째는 그것을 현실화시키는 역량과 조직을 케어할 수 있는 힘이에요. 앤스페이스에 분야별 리더가 두 분 계신데요. 앤스페이스의 미션과 비전에 공감하고 역량을 키우기 위해 애쓰고 계신 분들이죠. 같이 뉴욕에서 열린 프롭테크[2] 포럼도 다녀오고, 정기적인 리더 회의를 열어 조직을 케어하고 팀 역량을 쌓기 위해 스터디를 하기도 해요. 결국은 관점을 갖춘 역량 있는 인재를 육성하는 일이 앤스페이스가 해야

2 프롭테크(Proptech): 부동산(Property)과 기술(technology)이 결합된 용어로, 부동산 산업에 첨단 IT기술을 접목한 서비스를 일컫는다.

하는 일이고요. 10년 내로 서비스와 사업을 이끌어낼 수 있는 리더를 10인 이상 배출하는 것이 소기의 목적이기도 합니다.

말씀하신 '덕후'라는 표현이 대표님이 추구하는 일의 모습일까요?

맞아요. 우리 회사의 비전과 미션을 명확하게 이해하고 "내가 20대, 30대 때 이 일을 했어"라고 자신의 언어로 이야기할 수 있는 사람이 되면 좋겠어요. 그만큼 확신이 있는 거고, 자신을 설명하는 하나의 지점을 가지게 되는 거잖아요. 그런데 모두가 다 저처럼 덕후적으로 이 주제만 팔 수는 없다는 걸 이제는 알아요. 어쨌든 한 분야에서 점을 찍겠다는 자세가 필요한 것 같아요.

저희 팀원들에게도 본인이 앤스페이스의 비전과 미션에 공감해서 들어왔건 아니면 이 분야에 관심이 있어서 들어왔건 최소 3년 이상은 일할 생각으로 함께하면 좋겠다고 말해요. "나 한번 해봤어. 점 찍어 봤어"라고 자신 있게 말할 수 있도록요. 점이 선으로까지 그려지면 너무 좋고, 면까지 만들고, 도형까지 세우면 제일 좋지만, 최소한 점이라도 찍고 가라는 거죠. 있는 듯 없는 듯하고 가는 것은 이 귀한 젊은 시기에 본인에게도 손해이고, 회사도 손해라고 생각해요. 점을 찍는 기간은 3년에서

> 5년. 그리고 선을 그리는 건 5년에서 10년. 면을 그리는 것은 10년이 넘겠죠. 도형을 세우는 것은 30년 이상일테고(웃음).

미래의 리더에게 바라는 덕목이 '덕후력'이라면, 창업자로서의 바람도 있을 것 같아요.

> 창업 초반에는 저같이 사업의 핵심과 스토리를 만드는데 집중하는 리더가 필요하겠지만 모든 리더들이 다 그런 유형이면 피곤할 것 같고요(웃음). 그 이후에는 조직을 강하게 만들어주는 리더도 필요할 것이고, 이를 확장해 나가는 리더도 필요할 거라서 회사의 각 성장 시기에 맞는 리더십이 우리 회사에 있으면 좋겠어요. 이게 사실 창업자로서의 바람이에요.

대표님의 길을 걸어오면서, '젠더 의식'이 필요한 순간이 있었을까요? 그리고 그 순간이 삶에 어떠한 영향을 미치게 되었는지 궁금해요.

> 책 〈린 인Lean In〉에서 셰릴 샌드버그가 경험했던 에피소드가 인상적이었어요. 글로벌 기업 임원 회의에서 해당 층에 여성 임원이 없다는 이유로 여자 화장실이 없어서 황당한 경험을 했다는 일이요. 그 장면이 너무 충격적이거든요. 그 책을 읽고

여성들이 조금 더 많은 영역에서 존재감 있게 포지셔닝해야 한다고 생각했어요.

제가 몸담고 있는 부동산 프롭테크 및 공간 사업 분야도 마찬가지예요. 이 분야에서 업력을 쌓고 오래 버텨야겠다는 생각을 많이 해요. 공급자 중심, 자본 중심의 부동산 시장에서 조금 더 사용자 중심적이고 소프트한 것들이 사랑받고, 작은 의사결정이 존중받으려면 여성 플레이어들이 정말 많이 들어와 활동해야 한다고 생각해요. 여성에게만 기회를 요구한다기보다는 균형적인 시장을 만들어가기 위해서 더 많은 기회가 여성 플레이어들에게 주어져야 한다고 생각해요.

더 많은 여성 리더가 생기기 위한 조건이 있을까요.

사실 앤스페이스를 키우고 세워준 분들을 곱씹어 생각해보면 여성 리더들 이었어요. 스페이스 클라우드가 대중적으로 클 수 있도록 견인해 준 초기 투자자도 네이버 한성숙 대표이고, 여성 리더로서 좋은 역할 모델을 보여준 카우앤독 초기 기획자 김자영 대표님, 씨프로그램(C Program) 엄윤미 대표님

"

제가 선배님들께 받았던 좋은 에너지를
잘 이어나갈 수 있는 사람이 되고 싶어요.
지금까지의 에너지를 잃지 않으면서요.

"

같은 선배들이 계셨어요. 이런 분들이 성장 과정에서 좋은 교과서가 되어주셨고, 스타트업의 여성 리더로서 저를 끌어주고 성장시켰다고 생각해요. 제가 선배님들께 받았던 좋은 에너지를 잘 이어나갈 수 있는 사람이 되고 싶어요. 지금까지의 에너지를 잃지 않으면서요.

앤스페이스라는 회사가 성장하는 과정에서의 긍정적 경험이 정수현 대표님을 계속해서 이끌고 오지 않았을까 생각이 들어요.

7년 정도 공간공유 분야에서 서비스를 만들고 사업을 하면서 톡톡 찍어온 점을 이제는 '선'으로 연결하는 중인 것 같아요. "공간 사업하는 수현님은 어떤 공간이 좋으세요?"하면 전 늘 '커뮤니티가 있는 공간'이라고 대답해요. 내가 나로서 존재해도 누가 뭐라고 하지 않는, 자기다움 그 자체로 환영받을 수 있는 공간이 많아져야 한다고 생각해요. 따뜻하고 환대를 나누는 그런 공간이 N개로 많아졌으면 좋겠다는 바람으로 회사 이름이 앤스페이스가 되었죠. 앞으로는 커뮤니티가 기반이 되어 콘텐츠 있는 공간들이 리드하는 도시들이 세워져 갈 수 있도록 열심히 촉진하는 팀이 되고 싶어요.

22살, 나만의 공간을 고민하며 자취를 결심하면서 부동산 시장을 처음 직접 경험했다. 주변의 많은 이들이 고민하는 자취인데 생각보다 모르는 부분이 너무 많았다. 당황스러웠다. 임대인, 임차인, 내 도장 그리고 많은 계약서. 수많은 문서에 모르는 활자 투성이었다. 어릴적 주택에 살며 누렸던 초록 마당과 햇살의 이미지가 나에게는 '집'이었는데, 막상 부동산을 계약하려고 보니, '안전함'이나 '예산'과 같이 현실적인 고민과 기준이 더 크게 작용했다. 내 안에 분명한 취향이나 예민한 감성이 고려되기 쉽지 않았다. 내가 원하는 공간을 현실에서 구현하려면 부딪혀야 할 것들이 생각보다 많았다.

정수현 대표의 청년 리츠 이야기를 들으며, 청년들이 그들만의 공간을 열망하고, 자신이 먼저 관심을 가지고 경험 해봐야 한다는 주장에 공감이 갔다. 그동안 관심이 없어서 쳐다보지 않았던 분야가 언젠가 내 삶 속 깊숙이, 그리고 절실하게 필요한 순간들이 올 거라는 감각이 생겼다.

정수현 대표는 '커뮤니티가 있는 공간'을 좋아한다고 했다. 내가 나로서, 자기다운 존재 자체로 환영받을 수 있고 비슷한 고민을 하는 이들이 모여있는 공간. 이제 공간에 대한 나의 특별한 취향은 햇살이나 너른 테이블 같은 외형적 조건 이상으로 확장 되었다. 공간 걱정 없는 세상을 만들기 위한 도시계획자, 정수현 대표와의 대화가 공간에 대한 내 고민의 시야를 한 층 넓게 만들어 주었다. 그리고 나는 함께 살아가는 방식에 대해서도 고민과 질문을 시작하게 되었다. 함께 사는 사회에서 오롯한 '나' 만의 공간이라는 것이 과연 존재할 수 있을까? 누군가와 함께하는 공간이더라도 내 취향과 감각이 그 공간에 있다면 그곳도 나만의 공간일 수 있을 것이다.

이제 누군가 나에게 "어떤 공간이 제일 좋으세요?"라고 묻는다면 나는 '누구나에게 '나'만의 공간이 될 수 있는 곳'이라고 답하고 싶다. 그리고 그 공간 속에서 미소 짓고 싶다.

더 많은 레퍼런스를 기대하며

서울특별시 청년허브 센터장 **안연정**

팬데믹과 기후 위기, 기술의 변화와 고령화 등의 문제들을 전 지구적으로 견뎌내고 있는 2020년 '롤모델보다 레퍼런스'라는 반가운 제목의 책이 출간되어 반갑고 고마운 마음입니다.

이 책은 우리가 세상과 관계해왔던 모든 방법의 '대전환'을 이야기하는 시기에 무엇을 생산하고 소비할 것인가? 어떻게 일하고 생존할 것인가? 라는 질문에 대해 생각하고 행동하는 사람들의 이야기라 생각합니다.

우리가 롤모델을 이야기하지 않고 레퍼런스가 필요하다고 말하는 이유도 여기에 있습니다. 이제 대단한 한 사람이 우리 세계를 구할 거란 믿음에 균열이 생겼고, 내가 속한 세계를 응시하고 내가 서 있는 자리에서 변화를 만들어 가는 다양한 개인과 커뮤니티가 곳곳에서 등장하고 있기 때문입니다. 이런 맥락에서 어떻게 동료들을 만나고, 어떻게 자원을 만들며, 어떻게 협력하고 공유하는며 우리가 마주한 문제를 풀어나가고 있는지 소개하는 이 책을 여러분께 추천합니다.

'나만의 독립적인 삶과 공간을 만들 수 있을까요?' 에 소개된 레퍼런스를 읽으며 저는 '자율적인 삶' 과 '나답게 살기 위한 삶의 조건'에 대해 생각하게 되었습니다. 그리고 나의 삶을 구상하고 구성할 수 있는 사회를 만들기 위한 네 명의 여성들의 이야기가 고단하고 외로운 싸움이 아닌 더 많은 동료들, 협력자들 그리고 세계 시민들과 함께 실현할 수 있는 시기로 진입하고 있다는 낙관이 생겼습니다. 왜냐하면, 네 개의 레퍼런스에서 공통적으로 '선택'에 대해 이야기하고 있고, 이 '선택'을 구체화하는 과정의 경험들에는 더 많은 '선택'하는 사람들의 이야기가 연결되어 있기 때문입니다. '선택'할 수 있는 조건에 대해서도 사려 깊게 살피고 고려하며 모두가 '선택할 수 있는' 조건들을 만들기 위한 시도. 그 시도와 실험의 과정에서 만나게 된(될) 실패들에도 서로가 훌륭한 레퍼런스가 되어주겠지요? 그리고 우리는 서로에게 작지만 넓고, 느슨하지만 강력한 지원자가 되어줄 것이라 기대합니다.

이 책의 여성들과 그 여성들을 기록한 사람들과 이 책을 만든 사람들의 관점과 삶이 만나 모두가 자신의 존엄을 지키며 싸우는 시간이 외롭지 않길 바랍니다. 그리고 지구라는 행성이 지속 가능할 수 있는 다양한 삶의 레퍼런스들이 계속 모이고, 연결되길 바랍니다.

롤모델보다 **레퍼런스**

레퍼런스1 나만의 삶과 공간을 만들 수 있을까요?

인쇄일 2020년 10월 9일
초판 발행 2020년 10월 15일

지은이 한선희 박지민
기획 전혜영
편집 안지혜
교정 교열 홍현진
디자인 정선은
일러스트 백선호

펴낸곳 (주)진저티프로젝트
주소 서울시 마포구 양화로 12길 8-5 2층
이메일 admin@gingertproject.co.kr

ISBN 979-11-966047-2-1
ISBN 979-11-966047-1-4 (전 3권 세트)

* 책값은 뒷면 표지에 적혀 있습니다.
* 잘못 만든 책은 구입하신 서점에서 바꾸어 드립니다.

이 도서의 국립중앙도서관 출판예정도서목록(CIP)은 서지정보유통지원시스템 홈페이지
(http://seoji.nl.go.kr)와 국가자료공동목록시스템(http://www.nl.go.kr/kolisnet)에서
이용하실 수 있습니다.(CIP제어번호: CIP20120033047)